あらゆる場所に花束が……

＊

徹也はいま『醜いアヒルの家』にいる。空気と同じように体の廻りで青春の匂《にお》いが自然に漂っている彼……。誰でもそんな年齢を通過した記憶があるだろう。

「サカリのついた下等動物が放つような貴様の匂いは、本当に気に障《さわ》る」

深いため息。大きなゲップも、ついでに洩《もら》す。拳《こぶし》を強く握ると、指の関節が派手に鳴る。

「何とかしろ。何ともしようがないのなら、死ねばいい」

青臭い匂いよりは血の匂いの方がマシだ、とばかりに小林は地味な灰色の縞《しま》模様の入ったTシャツに包まれた巨体を揺さぶりながら、パンタロンのズボンからはみ出た足でいきなり蹴《け》った。気合の入った一撃。

ひと蹴り目で徹也は身をよじり、椅子《いす》から固いコンクリの床に叫びながら転落。小林には罪の意識なんてない。楽しげに鼻唄《はなうた》を口ずさみながら蹴る。白目をむいて、チョコボールのようなものをしきりに頬張りながら何度も蹴る。手は一切使わないのが基本だ。結局、手の関節をボキボキいわせたのは単なる景気づけでしかない……。以前、酒に酔った勢いで下手糞《へたくそ》なアコーディオンを演奏しながら蹴ったこともあったが、この日は何も手に持っていない。困るほどに血気盛んなのだ。さらに興が乗れば時折、ご自慢のウインチェスター散弾銃を徹也の頭に押しつけて脅すこともある。

「安心しろ。俺はまだ人を殺して責任を逃れられるほどの権力は持っていない。その代わりに好きなだけ、お前を蹴る」

とにかく薄暗い部屋の中で徹也は後ろ手に縛られて、いつも執拗《しつよう》に痛めつけられる。

『醜いアヒルの家』とは、黒い革張りで金の鋲《びょう》が打たれた立派な扉が設置された玄関に掛けられた木彫りの小さな看板に、単にそう書かれていたに過ぎない。実はその名前には何の根拠もない。一応、ここは青年のコミュニケーション能力を向上させるための研究所として設立された、ということになっている。

洗濯し過ぎて色あせたTシャツを通して全身を貫く激しい痛み。このただただ原始的に純粋な感覚に、理屈や疑問はありえない。

縄で縛られて、横になっている傷だらけの徹也。目をつむっても、この痛い夢は終わってくれない。だから天井をじっと見つめる。眼球を激しく動かす。それにも飽きたから、今度は部屋の隅に目を向けるとそこには何故《なぜ》かヘヤピンが落ちていた。ここにも女性が出入りすることがあるのか、と妙に感心してしまった。

小林の足元を一匹の猫が通り抜けて、隣の部屋へ行った。彼らのいる部屋と同じ冷たいコンクリート製なのだが、向こうは照明がなく完全な暗闇《くらやみ》になっている。猫はそこから帰ってくることがなく、足音や鳴き声は一切聞こえてこなくなった。

灰色のTシャツは今にも裂けそうな程に、パンパンに脹《ふくら》んでいる。小林は世間で肥満と呼ばれる体型の持ち主だった。内心は自分の滑稽《こっけい》な容姿に自信が持てず相当な劣等感に責め苛《さいな》まれているらしく、決して人前で笑わない。独りの時だけ、周囲に誰もいないのを確認してから笑う。声も立てず笑うが、眼は決して笑っていない。絵に描いたように冷酷な肥満児。しかも空手は有段者。ベンチプレスではかなりの重量を、簡単に持ち上げる。しかし、その事実を他人に自慢するようなことは絶対にしない。濃縮ウラン関連の企業の他にいくつものサイドビジネスを持つ彼にとって、他人に成功のためのノウハウは勿論《もちろん》のこと、苦労話や何が好きだとか嫌いだとかのプライベートな話題を披露《ひろう》することはもっての外だ。連中は常に何かと小林におべっかを使い、少しでも金をせびろうという魂胆を持って接してくる。そんな連中の余計な話を聞いても自信過剰になるだけで、全く意味がない。今日も、後でそんな連中の一人がここにやって来る。

急に思い出したかのように、机の上の預金通帳と領収書を所得税申告書の入った封筒と一緒に書類鞄《かばん》の中に適当に放り込む。マネー・ロンダリングの全貌《ぜんぼう》が記されたこいつを人に見られるのは、非常にまずい。額の汗をさっとぬぐい去る。その日は熱が八度ほどあり、カゼのせいで頭も多少痛かったらしく特に機嫌が悪いようだった。

小林は再び元の立ち位置に戻ると今度はタバコに火を付け、深々と吸い込んだ。やっと徹也は鼻をすすりながら彼の顔を憎々しげに睨《にら》み付けるが、殺意を含んだ鋭い視線であることに小林は気づいていなかった。

「この後、何をしようか？　正直云《い》ってお前を蹴っ飛ばす以外やることはないけどね」

再び小林は徹也を蹴り続ける。しかし、しばらくすると台所の方へ行き、冷たいピザを冷蔵庫から取ってうまそうに食べた。別に腹が減ったわけではないが、つい口淋しくて食べてしまうのだ。台所の中央に立ったまま、あっという間に三きれ程のピザを平らげた。三十分前に夕食を終えたばかりなのに……。

徹也はこの三日位、何も食べていなかった。必死に空腹を訴える胃袋を満たすには何かが必要なのだ……。このまま黙って待っていれば、コンピューター制御の高性能なキュアリングの最新式冷蔵庫にたんまりと収納された、未調理のお好みの食材を満足するまでたらふく食べてよいという許しを小林から貰《もら》えるだろうか？

そんな期待を尻目《しりめ》に、小林は夕食で使用した食器を、驚くほど丁寧に洗い始める。その動作はきびきびしていて非常に能率がよかった。まさにエキスパートだ。普段は乱暴な人間の行動とはちょっと信じがたい。特に皿を自動食器洗い機の中の水切りラックに並べるときの、食器に対する優しささえ感じられるような繊細さはなかなかのものである。

単なる木材でなく化学物質との合成で生まれた画期的な新素材で作られた食器棚の引き出しから、真新しい青いタオルを取り出し、手早く皿に付いた水滴を拭《ふ》き取る。それが終わると、次々と皿たちをガラス戸の中のフェルト製の布の敷かれた所定の位置にゆっくりと慎重に重ねて置いていった。まるで夢の中のスローモーション映像のように。

次はニュー・セラミックス製のフォークやスプーンが綺麗《きれい》に列を成して並べられた引き出しを開け、触れることなくただ黙って満足げに中を眺めた。最近、コーヒー・メーカーやフード・プロセッサーなどの台所の設備を最新のものに換えたばかりで、ついでに外国製の高価な食器類を全《すべ》て買い揃《そろ》えたばかりだから、いまは小林にとって家事が楽しくて仕方がないのだ。しかし、自動食器洗い機の内部の水が勢いよく攪拌《かくはん》される音が、意外に耳障りだ。中にいらだたせる芸を人間から習得した薄汚いチンパンジーでも入っているのか？

『醜いアヒルの家』の中の一室であるこの部屋は、虐待《ぎゃくたい》さえなければ結構ご機嫌な場所だった。小林は、こと室内装飾には大変うるさいという評判は本当である。高級絨毯《じゅうたん》は敷きつめられてはいなかったが、贅沢《ぜいたく》な内装のおかげでコンクリートの冷たい床のことをとやかく言う輩《やから》はいなかった。よく冷えた高級ビールがまず最初に出され、どんな客をもそんなことに文句をいう気分にさせなかったのだ。それに、最高に座り心地のよいマホガニー製の安楽椅子もある。徹也が座ったことはなかったが。

外の明かりは完全に遮断《しゃだん》されており、若干ファンシーな趣きのある黒い鎧窓《よろいまど》は絶対に開かれなかった。部屋のいたる所に様々な大きさの鏡が置かれ、洒落《しゃれ》た間接照明が淫靡《いんび》なムードを演出する。長年にわたってコレクションされたプリミティブ・アートの置物たちに向けて、下から照明が当てられており、不気味な影が徹也を脅《おびや》かした。

壁には一束のドライフラワーと一緒に、下着女性のポスターやどこかの企業のP

R用の水着姿のキャンペーン・ガールの写真が何枚か貼《は》ってあった。均整のとれた一流の女。円錐形《えんすいけい》で上向きになった乳首、豊かな腰部《ようぶ》、くびれたウエスト、高価なサンタン・ローションによって紫外線から守られた小麦色の肌。どの彼女たちのどの部分をとっても見事としかいいようがない……。しかし、誰一人として健康的な微笑《ほほえ》みを浮かべているモデルはいない。そんな写真は一枚もない。

徹也がこれらの女性たちの魅惑的な身体《からだ》を荒々しく抱きしめたり、そのカラフルで優雅な下着を全て引き裂きたいという欲情を起こしたことは一度もなかった。下等動物なら見境なく発情してしまいそうな悪趣味なフレグランスが、部屋中に漂っていたにも係わらず……。美しい彫刻を眺めている気分になって、口元が思わずほころぶことならあったかもしれないが。本来なら、徹也は女性とみれば見境なく性交渉を持ちたくなる性分なのに……。勿論、彼は修道僧ではないのだからそれでいいのだ。

突然、音楽が止まった。辺りが無音になってやっと今までこの部屋に音楽が流れていたことが分った。小林は新品のクリスタル・グラスの優雅な輝きに夢中で、レコードを裏返さなかったので、その曲がどんな音楽であったのか今度は注意して聞こうとした徹也をガッカリさせた。この特価販売がまずありえない輸入グラスたちが小林にとって、台所用品を新調する際のウイッシュ・リストでトップに挙げられていたのだから仕方がない。彼はさらに、グラスを通して見た台所空間がデビッド・ハミルトンの写真を思わせる幻想的な官能の風景に変化していることを発見し、恍惚《こうこつ》となった……。

また胃袋がごろごろといった。

静寂が支配した部屋の中、何もせずただ台所の中央から立ったままで小林は徹也の姿を眺めつづける。それが嫌でたまらず、徹也は隣の部屋に広がる深遠な暗闇の方へ顔を向けた。しかし、そこからも威圧感のある亡霊のような目に見えぬ何かが、息を殺して自分を監視しているような気がする。

その存在を証明するものはない。ただ奥から微《かす》かに電気的な〝ブーン〟という音が聞えるだけだ。

いつの間にか小林は部屋から消えていた。彼の生計をたてる手段の一つである絵ハガキ工房へ行ったのだろうか？
死後の世界のようなこの瞬間が、永遠に続く気がした。

＊

真夏の蒸し暑い日に、小林から突然届けられた下手糞《へたくそ》な絵ハガキの絵。

黙って見つめていると無性に腹が立ってくる。素人《しろうと》の描いた下手な絵が、不器用なりに人の心を動かすのは事実だ。しかし、手にした途端に抑えきれぬ怒り。これが何の才能もない自称画家が描いた絵であることくらい知っている。一秒でも早く帰宅し、部屋に備えつけられたばかりのサンドバッグを執拗《しつよう》にブッ叩《たた》きたくなった。

「一度でいいからどこかの絵画コンクールで受賞してみろっていうのよ」

気取ってベレー帽でも被《かぶ》っているのだろうか。人を馬鹿《ばか》にしきったろくでもない奴《やつ》。そして奴を擁護《ようご》する取り巻き連中にも、忘れずに同じくらいの憎しみを向けろ。

顔が真っ赤になり、その後しばし放心。一瞬だけ目を閉じる。余りの憎悪《ぞうお》に失神しそうだ。気を取り直して、握ったり開いたりを反復する拳《こぶし》の屈伸運動を始める。美容室に勤める恵美子は手の器用さだけが自慢だった。

＊

ぼろを纏《まと》った社会的弱者が『醜いアヒルの家』の暗い地下室で、白シャツに黒ズボンの指導係の服を着た小林にS＆Wの38口径で脅されて無理矢理、一枚一枚丁寧に絵ハガキを描かされている。状況を見れば判《わか》るとおり、それは自分の意思で描いてるのではない。

だからどことなく冷たい絵だと感じられるのだ。

台所か何かの設備が取り外された跡を隠すために、壁に過去の日展や二科展などのコンクールのポスターが貼《は》られている。やけに汚れているタイル壁の向こうから他の部屋のうめき声が聞こえる。ここには気を紛らわせるような有線放送の設備はない。時折、唯一《ゆいいつ》の照明である石油ランプの炎が揺れる。それは見様によってはベリーダンサーの官能的な踊りに似ていないことはない。

新品のエアコンがゆっくりと甘い香りを運ぶ。

「もうお前さんの薄汚い絵なんてどうでもいいさ。それよりこっちを見てくれよ」

薄暗い光の中で、赤光りした固い男根が古い柱時計の振り子のように優雅に揺れる。

「お互い存分に楽しもうじゃないか」

男根の動きは、炎に見事にシンクロしていた。蛍光ピンクのマニキュアが塗られた女の細い手が、なかなかそれを摑《つか》めずにいる。決して握手をしようと延びてきた手ではない。

「不器用だな。さっさとしろよ！」

小林が男根と共に38口径もちらつかせて脅す。先月、女房が出ていったばかりだから、イラついて仕方がない。昨日までおとなしく塞《ふさ》ぎ込んでいたのがウソのように荒々しい怒声が、次から次へと飛び出しそうになるがグッと堪えた。

摑みきれぬほどに大きいので何度もスルリと逃げていったが、ようやく女の手はそれをキャッチした。

「おっ」

手のひらに感じる爬虫類《はちゅうるい》のようなヌルッとした感触。まさに何物にも代えがたい肌触りを、女に与えた。

ロマンティックなムードをわざとらしく演出するための有線放送は、ここには必要ないのがようやく理解できた。女の手が男根を前後に反復してしごく音は、まるでギロを使ったラテンの激しいリズムに似ていたからだ。

壁の黴《かび》や汚れが以前同じようにそこで働かされていたいまは亡《な》きものたちの顔や体全体の輪郭に見えなくもない。そして彼らがかつて暇な時間に読んで過ごした雑誌のバックナンバーや官能小説の文庫本を、足元を走る鼠《ねずみ》たちが食い散らかして騒がしい。

何のためにここに置かれているのか、まったく見当も付かない空の段ボールや紙コップ、絶縁体のロール、不自然に曲がったスプーン、地面に散らばる枯れ葉や枯れ枝。

天井に広がる水漏れの染《し》み。

男根に群がろうとする無数の蚊。

壊れたＣＢ無線装置から微《かす》かに聞こえる霊魂のような呟《つぶや》き。

壁に取り付けられた照明のスイッチは手垢《てあか》にまみれている。

薄暗い中でそのスイッチを手で探る、様々な色で汚れたペンキ屋の帽子をかぶった男の姿が目に入る。急にノックなしで部屋に入ってきたのだ。彼が自分の無礼を反省しているかどうか分からない、妙な態度。彼のせいでビーナス像の石膏《せっこう》細工が床に落ちて、派手に割れた。

それらが気になって、いつまでも達することができない。天井と壁の接合部分くらいまで飛ばしてやりたい気分なのに……。虚空《こくう》に向けて一発お見舞いしてやる。しばらくして何もかもがバカバカしく感じられるようになって、とても恥ずかしい気持ちになった。

「畜生！」

小林は急いで男根をズボンに収納し、タバコに火を付けた後に、何回かしか吸わずに直《す》ぐさま灰皿にひねり潰《つぶ》す。灰皿の底には、死を連想せざるをえない忌《い》まわしい紋様がある。

＊

「こんな幼稚で胸糞《むなくそ》悪い絵ハガキを見たのは、まさに生まれて初めてだ。さぁ、躊《ちゅう》躇《ちょ》することなくライターで燃やしちまえ！」

火など使わずとも、遠慮なくさっさとズタズタに引き裂いてゴミ箱にでも捨ててしまえばいいのに、いざとなるとなかなか実行できない。絵が印刷ではなく、ちゃんと直筆で描かれているせいなのだろうか？　だから気軽に捨てられない。猫や兎《うさぎ》などの小動物をあっさりと自動車で轢《ひ》き殺してしまうことと同じように、良心が痛みはしないだろうか？　魂が宿っている、というにはあまりにもお粗末な絵なのに……。

心ない手段で捨ててしまったばっかりに、その日は一日中、気持ちが沈んでしまうのではないだろうかという心配が、恵美子の頭から離れずにいた。

パッと目を開け、再び黙って絵を見つめてしまう。長い緑色の野菜らしき物体。何なのか全く判別できない。これはまるで想像もつかない。恐らく皿に盛られた調理済みの爽《さや》いんげんの絵か？　酷《ひど》く下手なくせに、それが味だといわんばかりの傲《ごう》慢《まん》な態度。

最近やっと、美術界の権威ある人々にもちらほら評価され始めているのですよ、とでも言いたげだ。単に不愉快なだけの絵。これが無垢《むく》だと？　フン！　ただ腹立たしいだけだ。いずれ何かの宣伝広告のイラストにでも採用されようと、虎視眈々《こしたんたん》とサクセスを狙《ねら》っているのはこちらにはお見通しだ。やがては地下鉄の駅の壁に大きく張り出されたいという欲望が匂《にお》う。

「小動物が描かれているのではない。ただの野菜の絵。もしこれが突如具現化して目の前に現れても、食べても決して旨《うま》そうではない。だから、食糧危機を救うこともない。しかも、これは見たら誰もが優しい気持ちになれるような、可愛《かわい》らしいイラストというわけでもない。勿論《もちろん》、有名人が多忙の間を縫《ぬ》って描いたものでもない。こんな安っぽい絵ハガキは後世に残す価値があるわけがないじゃないか。さぁ、もうい加減に気前良く捨てちまえ！」

何も考えずに直《す》ぐさま引き裂くにしても、余りにも小さいのでどんなに細かくしてやっても、全《すべ》てが一分ぐらいで終わってしまうだろう。憎しみはまだ終っていない。

ただの細切れの紙片になった絵ハガキを、今度は泣きわめいて嫌がる誰かを連れてきて押さえ込み、下半身を裸にして、どんなに迷惑だろうがそいつの性器か尻《しり》の穴に嫌悪《けんお》を込めて無理につっ込んでやる。こんな非道徳的行為に没頭しているかのように見せかけて、実は冷静な判断力を失ってはいない。

これはゲームじゃない。生きるか死ぬかの戦場の恐怖はこんなものでは済まないのだ。誰かが適当に撃った弾丸が、あちらこちらに乱れ飛んでいる。いまはとてもじゃないが百科事典を開いたり、お気に入りの手帳にメモしている場合じゃない。

「殺《や》れ！」

絵を描いたのが、社会的弱者であろうが何だろうが知ったことではない。こんな人を小馬鹿《こばか》にした連中に思い知らせてやれ、最大限に……。

いますぐにでもSWATか何かになった気分で奴《やつ》のアトリエのある地下室に乗り込み、何もかもメチャクチャに破壊してやれ。怒りが爆発して、顔面に平手打ち。奴の指の骨を全部折ってやって、二度とこんな趣味の悪い絵など描けないようにしてやれ。そこでAK47ライフルを乱射。さもなければライフルの柄の部分か、重い鈍器で何度も執拗《しつよう》にこっぴどく頭部を殴ってやればいい。赤い絵の具が奴の顔面を真っ赤に染め上げるまでは。

そのみすぼらしい部屋には、もう誰もいない。

すると奴の砕けた頭蓋骨《ずがいこつ》から流れた血の匂いを嗅《か》ぎつけたカラスが一羽、頼みもしないのに馴《な》れ馴《な》れしく上空から舞い降りてきて窓から侵入し、こちらに近づいてくる。そこで再びライフルを乱射してやると、直ぐさまに旋回しながらどこかの枝に止まって二度と寄ってこない。

傲慢な軍人のような悠然とした態度でタバコを吸う。

しばらくして浴室の鏡台を開くとアスピリンの箱が入っているのを発見。白い錠剤を二つばかり口に放り込み、冷たいコップの水で喉奥《のどおく》に流し込む。

その後は仕上げにわざわざ持参したガソリンで、奴のご自慢のアトリエに火を放つべきだ。まだガソリンが余っていれば、他の近隣する建物もついでに燃やしてやれ。やるなら根こそぎ、徹底的にやらないと意味がないじゃないか。

「燃やせ！」

絵を裏返して差出人の名を見てみると、私信らしき文面がある。しかし絵を見る感覚で眺めていたので、この絵ハガキを誰が何のために送ってきたものなのかを指し示す小林の名前や文面が全く意識に入ってこない。

漁師が鮫《さめ》に銛《もり》を打ち込むかのように、誰か自分の頭に針でも突き刺して欲しい。その代わりに有線放送でその場に流れはじめたチャイコフスキーの『悲愴《ひそう》』が、先程までかかっていた他の曲よりもヴォリュームが大きくなって脳に直接、鋭利な音が刺さったような気がした。

以前、この曲をどこかの病室のベッドの脇《わき》に置かれた小型ラジオで聞いたのを思い出した。その隣に小型テレビがあるが、音声は最小になっている。

そこは銀行の応接室や研究所の無菌室、音大の無音室のようによそよそしく殺風景で、空気までが希薄な感じがした。十年前、太平洋で炎上して沈没した七十万トンの超大型石油タンカー〃サーベル・タイガー号〃の精巧な模型まで置いてあり、放っておいても勝手にどこからかグツグツ煮えたシチューの匂いがしてくるような、家庭的なムードからは程遠い。

もともとその頃はすべてのことが上手《うま》くいかず、精神的にかなり落ち込み気味だった。

そういう状態になってしまった理由もはっきりとは分からないし、当然解決策もないまま見舞いに来てしまった……前日から高熱を出していたので、身体はゾクゾクして頭はキリキリと痛む。本当なら自分こそが入院すべきなのだ。

知人の誰がそこで寝ていたのかは思い出せない……恵美子が働いている店のオーナーの陽子なのか……いままで彼女が入院したことなんてなかったか……とにかく、全身が包帯で包まれている。いや、縞《しま》模様にバラの刺繍《ししゅう》入りのパジャマぐらいは身につけていたか……。とにかく手の甲で鼻を拭《ぬぐ》うことすらできない姿。その重い怪《け》我《が》を負う何者かが曲名を息も絶え絶えに教えてくれたのだが、作曲者の名前はついに最後まで教えてくれなかった。

初めて聞いた『悲愴』は、厳密に云《い》えばオーケストラが演奏したものではなかった。エレキギター数台によるアンサンブル。ギター以外の楽器は参加せず。それは気分が悪くなるほどに趣味が悪い。このラジオ局で放送される曲は、全部クラッシックの名曲にロック風の大味なアレンジを施した楽曲のみ。無理矢理、陽気なユーモアが盛り込まれているのが不愉快。どれも〝何て珍しい編成なんだ。本当にご苦労さん〟と云う以外何の感想もないほどに安っぽい。

これは去勢されたマネキンのような患者たちの声なのか？　病院の冷たい廊下で何者かが曲の合いの手にクスクス笑い。部屋の外にいる連中は演奏者や製作者のセンスよりも、退屈な曲調にいい加減飽き飽きしたのだろうか？　歴史に残る作曲者なのに、結構な扱いを受けたものだ。確かにこのときはまだチャイコフスキーという偉人の名前すら知らなかったが。

家を出る前に飲んだ解熱剤《げねつざい》が効いてきたのか、意識の焦点が急に合い始めた。ちらりと腕時計に目をやり、残りのコーヒーを飲み干す。時計を見たのは身振りだけで、本当はいま何時なのか知らない。

「私はもうそろそろ帰らねばならないので……」

様々な過去の出来事を忘却するために、各地を転々と一人で旅行がしたくなった。しかし、そう簡単には実行できないだろう。このままでは、ますます自分が塞《ふさ》ぎ込む結果になってしまう。

突然、寝ていた病人が足で小型ラジオを暴力的に蹴《け》り飛ばす。それが床に落ちて、バラバラになった。同時に曲が終わる。最後までおとなしく聞きたかった気もしてきた。

ラジオが壊れたから、次は小型テレビをつける。画面には近所の児童病院で起きた惨事を取り上げたニュース番組が映っていた。TVクルーが野次馬を退かすために、どやしつけてカメラの先端のレンズでブン殴る。

「くだらない猥褻《わいせつ》な図画や言葉が書き込まれた煉瓦《れんが》の壁が崩れ落ちて、瞬時に二百三十八人の子供たちが死亡」

去る前にもういちど腕時計を見て、今度こそ時間の確認。

いま、恵美子は朝のぼんやりとした意識の中で再生される、血の色だけがやけに鮮明な殺戮《さつりく》の幻影から、ようやく現実に引き戻されたところだった。

「そんな薄気味悪くて貧乏臭い絵ハガキなんてもう放っといて、はい、仕事仕事！」

ここは美容院の店内。奥の部屋から経営者の陽子が元気よく怒鳴る。もし恵美子の記憶通りに以前入院したことがあるのであれば、物凄《ものすご》い回復力で仕事に復帰したのだろう。

「もう仕事よ！」

客には決して見せない憎悪《ぞうお》の皺《しわ》を額に寄せ、奥の部屋から陽子が現れる。さっきの調子とはまるで違う大声で怒鳴った。もう彼女は上機嫌ではない。恐らく、昨晩も十分に眠れなかったのではないか。

実をいえば以前とは違い、最近、陽子の具合のいい日はあまりなかった。彼女がひと月前に離婚したあとからは特にそうだった。

床に盛られた毛髪の山が、箒《ほうき》で崩される。山の中には様々な色の毛が混じっているが、最近こんなに大勢の客が来た覚えはない。

今度は店先に目を向ける。ガラス張りになっていて、通りを歩く人々が見える。開店したばかりの近所のドーナツ・ショップには、相変わらず客がいない。

やがて伸び放題の髪がボサボサ、顔は日焼けして首には似合わない金のネックレス、高価そうなコートが何だかとても着心地が悪そうに思えてならない中年の男が店の前を通りかかる。生まれたての子馬のようなどこかぎこちない動き……。暫《しばら》くして彼は再び店の前に現れてガラス越しに中を覗《のぞ》く。あたかも『悲愴』をテーマ曲にして舞台上にパントマイムで登場した大根俳優のようだ。彼はこの店の常連ではない。

額に手をやり、必死に店の内部を見回す。日ざしのせいで汗ばんでいるようだ。

「どなたか探していらっしゃるのですか？」

我慢できなくなり、思わず片手に例の絵ハガキを手にしたまま外へ出て、いつの間にか中年の男に話しかけていた。まさか急に話しかけられると思っていなかったらしく、男は驚きの表情を見せた後、恥ずかしそうに俯《うつむ》き気味に口を開いた。

「えっ、あの……実はこちらのお店で私の髪を切っていただきたくて、お伺いしたのですが……」

恵美子はまだ美容師の免許をもっていなかったので、中年の男を店に招き入れて鏡の前の椅子《いす》に座らせると、無言で客の背後に引っ込んだ。例の絵ハガキは未《いま》だ破かれることなく、蛍光ピンクのマニキュアが目立つ手の中にきちんと収まっている。

「岡田康雄といいます。よろしく」

中年の男は調髪用のハサミを持った店主の陽子に、動ける範囲でお辞儀をした。陽子は微動だにせず、ただじいっと黙って彼の顔を眺める。

薄い唇の合わさった口の上にある高い鼻。眼が少々充血気味で、虚《うつ》ろな表情。何日も髭《ひげ》を剃らなかったために不精髭が濃い。浅黒い顔色。黄色い歯。睡眠不足らしく目が腫《は》れている。肉づきの薄いとがった顔面の両頬には過去に幾度となく受けた拷問《ごうもん》の苦しみが刻まれたような深い皺《しわ》があり、永遠に癒《いや》されることのない心労の重みを感じさせた。度重なる壮絶な格闘の末に、顔の右側が変形したのか。

おそらく岡田の安物の背広に隠された身体《からだ》中にも生々しい打ち身や擦過傷《さつかしよう》やライフルで殴られたような形跡があるに違いない、と勝手に恵美子は思った。

こんな風にいろいろと他人から詮索《せんさく》されるというシチュエーションは、もう何度も体験済みなのだろう。人にジロジロと見られても全然気にしない、余裕があるのだ。

　そして陽子は突然、エプロンのポケットから黒い布のようなものを取り出した。岡田はそれよりも彼女の指に塗られた、恵美子と同じ蛍光ピンクのマニキュアの方に気を取られていた。彼の嫌いな趣味の良くない色が、この職場では流行しているのだ。

　黒い布は実はアイマスクだった。陽子は岡田に乱暴に目隠しをした。

「おお、いったい何ですか、これは」

　次に恵美子が縄を取り出して岡田の身体を椅子にぐるぐる巻きにして縛りつけた。

「痛い、ちょっと。どうして、こんな縄をきつく……これ結構、痛いじゃない」

　完全に自由を奪われた岡田の背後に、清涼飲料の空きビンを持った陽子が近づく。そのとき、恵美子は手にどう見てもモデルガンにしか見えない銃を構え、健気《けなげ》に脇に立っていた。

　その頃、小林の運転するダンプカーは、陽子の経営する美容室の中の様子がすべて見える駅前広場に到着した。彼がこの種の車両を運転するのは生まれて初めてだが、乗ってみればなかなか迫力があって楽しい乗り物であることを知った。狭い道で曲がるときには不便さを感じずにはおれなかったが。

運転席でサンドイッチを頰張《ほおば》りながら店内を双眼鏡で覗いていると、何やら暴力的なことが起きているのが見えた。詳しい状況は分からないが、警察沙汰《ざた》にはならぬことを彼はひたすら祈った。そして、今度はウォッカをグラスになみなみと注ぎ一瞬で飲み干した。

「それにしても、あの男はいったい何者なんだ。部下に調べさせよう」

小林はダンプから降り、一番近い電話ボックスに入った。

「こちらのとんでもない誤解だったようですわ。人違いでした」

すでに岡田のアイマスクは恵美子の手によって外されていた。頭を直撃した空きビンは意外に頑丈で、ヒビひとつ入っていない。

彼自身の血で汚れた顔を拭《ふ》くための清潔なタオルを、恵美子が急いで持って寄越す。ついでにそのタオルで、彼の血で汚れた眉毛《まゆげ》や髪もきれいにしてやった。

「びっくりしましたよ、本当に」

岡田はそう言いながら目まぐるしく顔の上を移動するタオルの隙間《すきま》から、鏡に映った彼の背後の壁に貼《は》られた写真パネルを睨《にら》み付ける。ほとんど全裸に近いやせ細った難民の子供たちが地べたに座りこみ、空になった器を手にしているそのソフトフォーカスぎみの写真のパネルには、何故《なぜ》か特に募金を募るような言葉が添えられていなかった。

「あれって何ですか？　あれは」

いますぐにも立ち上がって写真パネルに近寄りたかったが、岡田の身体は縄で椅子に縛りつけられていたので不可能だ。

「私がわざわざ現地に行って撮ってきた難民の貧しい子供たちのポートレイトです。やっぱり、気になりますか？」

恵美子が話しかけてきた。写真の技術には余程の自信があったらしく、尋ねられて至極ご満悦の様子だ。特に岡田が指さした写真だけが立派な額に入れられているので、これが一番のお気に入りらしい。栄養失調で頭部と腹がグロテスクに肥大化した子供の肩に〝俺にも食い物をくれ〟と言わんばかりに馴れ馴れしくとまっている一羽の白い鳩《はと》。小道具としてわざわざ現地に持ち込んだのだろうか？

確かに、その鳩の表情は相当な凶々《まがまが》しさを持っていた。

撮影が終わったら、鬼のような表情で固い岩か何かでこの哀れな鳩を何度も叩《たた》き潰《つぶ》して殺したに違いない。どう考えても、持って帰るのが面倒だろうから。

顔を覆《おお》っていたタオルから解放されるのを待って、岡田は答えた。

「ええ、それはもう当然……。こんなに説得力のある力強い写真を見てしまったら、誰もが気にせざるを得ないでしょう」

「実はこれには大変ユニークな仕掛けが用意されていて……」

恵美子がエプロンのポケットから封筒を取り出すと、中から七面鳥の丸焼きやローストビーフなどの豪華な料理をファンシーなタッチで描いたシールが何枚か出てきた。

「これを難民の子供たちの写真の上から貼ってみるんです。すると、優しい気持ちになれるから不思議です」

岡田は黙っていた。何も言うべきことがなかったからだ。

「そうそう募金の箱は、レジの横にあります。お金を入れてくれたお客さんには黒《くろ》飴《あめ》キャンディのプレゼントをしますよ」

恵美子の言ったことに漠然とした心のときめきを感じて、岡田は唇を舐《な》めた。そして急に咳払《せきばら》いをした。

「あのう……あとで絶対に募金しますから、いま飴を貰《もら》えませんか？」

「いいですよ」

恵美子は岡田と話しながらタバコを吸いたくなったが、我慢した。あまり意味のない大げさな身振りを盛り込みながら会話したせいで、彼女の脇の下や乳房の間に不快な汗が溜《た》まった。しかし、その甲斐《かい》あってどことなく岡田の表情に笑顔が戻ってきたので安心した。怒ってはいないようだ。

恵美子がレジから持ってきた黒飴が幾つか、岡田の手に渡る。ついでにこっそりチューインガムも持ってきて口に頬張った。休憩室以外の場所でガムを嚙むのは陽子から禁じられていたが、タバコを我慢するためには仕方がない。それに彼女が不在の時は、いつも仕事をしながらクチャクチャやってるし……。他人が見ればひどく横着な態度ととれるし、非常に失礼なのも分かっているが……。

クチャ、クチャ。

「いやぁ、私はルポライターをやってましてね。結構TVやラジオなんかで話題になった本を何冊も出しているし、普段は主に大手の出版社の男性向けの週刊誌なんかを中心に活躍しているのですよ」

岡田は恵美子が心を開いて、ちゃんと自分の話を聞いてくれているのを確認した。恵美子の方は、岡田がガムのことぐらいで眉を顰《ひそ》めて癇癪《かんしゃく》を急に爆発させるような心の狭い人間でないことに安心した。

「有名な武道家なんかのインタヴューやったりする他には……」

「他はどういうものを？」

「いやぁ、本当は嫌なんですが生活のために、あまり女性の方がお気に召しそうでないお色気記事もよく書いていますがね」

「まぁ、そうなんですか。でも実際に読んでみないと……」

「嫌になるほどイヤらしいですよ、本当に」

そう言って岡田は恵美子に縄を優しく解いて貰ってから、黒の地味な革製の鞄《かばん》を足元から取り出し、自分の書いた記事のコピーが入ったファイルを出し、誇らしげに眺める。

「例えば先日起きた大変ショッキングな事件なんですが、ピストルで脅して無理矢理素人《しろうと》女性にマスターベーションを手伝わせたという悪い男の話とか……」

そのお気に入りの話題が岡田の思考回路に立ち現れた途端、秘められた欲望が徐々に喚起され始めた。いつもの悪い癖である〝自分のペニスを中心に世界は廻っているのではないか〟という、何の確証もない勝手な思想がまたひとりでに頭を擡《もた》げてきそうだ。

「ああ、それ知ってますよ。テレビで再現ドラマを人気美人女優が主演でやってましたからね、深夜に……。最初から番組を見ていたわけではないので、事件の詳しい前後関係はよく知りませんが」

クチャ、クチャ。

彼女が決して知ったか振りをしているわけではないのは岡田には判《わか》ったが、そんな刺激が強すぎる描写がちゃんとテレビで放送されたなんて正直いって信じられなかった。

「そんな番組をやっていたなんて知らなかった……本当ですか？……やってましたか……リアルでエロティックでしたか、それは」

「とにかく内容がとっても凄くて……。確か犯人の着ていた白いTシャツの胸には、大きなアディダスのロゴ……」

「ふむ、事実に忠実だな」

「ステレオ放送だったせいもあるのですが、まるで自分も目撃者になったかのような臨場感でした」

「へぇ……興味深いな。それはビデオに録《と》らなかったのですか？」

「いえ、残念ながらうちのビデオはいま調子悪いので……」

クチャ、クチャ。

岡田は大変すまなそうな表情を浮かべた恵美子が気の毒になったが、ここでこの話題をやめてしまったらルポライターとして失格だ。セックスのことが知りたくて仕方がない十代の少年のような気迫で再度彼女に尋ねた。

「なら、もっと詳しく教えてくださいよ。どうか、ぜひとも恥ずかしがらずに」

「ええっと、確かこんな風に……」

淫《みだ》らな微笑を浮かべた恵美子の半開きになった口から、並びのいい白い歯と粘土のようにこねくり回されたガムが見える。そちらに気を取られている間に、彼女は岡田の股間《こかん》の温かい盛り上がりに手を触れた。

咄嗟《とっさ》の出来事に岡田は目を丸くしたが、彼にとって決して意に沿わないことではない。実は一分ほど前から勃起《ぼっき》は始まっており、彼女に貰った黒飴はすぐに食べられることなくズボンのポケットに無造作に突っ込まれていた。だから彼の下半身には不自然な大小二つの膨らみがあったのだ。

恵美子がコルト・ガバメントを模したモデルガンを岡田に手渡した。これは、以前来店した子供づれの客が忘れたものだろうか？　それはやたらと精巧に作られており、子供向けとは思えない重量感があった。

ニヤつきながら自分の鼻を嫌らしい手つきで触った後、次に彼女の手はジッパーを探り当てて開いた。すると自動的に性器がピョコンとお辞儀をするかのように、愛嬌《あいきょう》たっぷりに彼女の右手に飛び込んできた。

「まぁ」

性器の余りの大きさに、まず恵美子は驚いた。手のひらの三倍はあろうかと思われるそれはとても摑《つか》みきれるようなものではなかった。

ラテン音楽に多用されるギロを扱うリズミカルな手つきで、彼女は岡田の性器を懸命にしごいた。手品師のような手さばきで慰める。ガムを嚙む音とそれは見事にシンクロしている……。まるで性器を握る五本の指が全部、生まれたての小さな鼠《ねずみ》になったかのような繊細さで攻めた。そして、木の上の獲物《えもの》に群がって死闘を演じる飢えた野犬の群れに似たような激しさをも兼ね備えていた。

「いつもお客さんにこんなことをしているわけではありません。これは写真を褒《ほ》めていただいたお礼です」

突然、野犬たちが去った。今度は大鴉《おおがらす》がどこからか飛んできて、木の上の獲物を捕らえた。彼女の手が右手から左手に交代して、岡田の赤紫にふくれ上がった先端に直接触れたのだ。このグロテスクさに岡田自身、思わず顔を赤らめながら深い関心を持って眺めずにはいられなかった。

事件を検証するという当初の試みは完全に忘れ去られて、銃撃戦で撃たれた人間のようにいまにもモデルガンは岡田の手から離れて床に転がり落ちそうだった。しかし、岡田は憂《うれ》うべき不純な現状に気が付き、ちゃんとモデルガンのグリップを握って照準を恵美子の頭部に向けた。意外な重さが、再び精神集中の邪魔になりはじめた。

極度の興奮状態が続く。呼吸も早い。言葉にならないほどに緊張したかん高い小声で、岡田は呟《つぶや》く。息づかいが異常に荒い。このまま窒息死してしまうのではないか、とも思えて心配してしまう。血圧が急上昇して、脳の動脈が炸裂《さくれつ》しそうだった。

この手のエロティックこの上ない出来事は、公衆便所でひそひそと囁《ささや》かれるような駄法螺《だぼら》かポルノ小説の世界でしか起こらないものだといままで思い込んでいた。それがいま、目の前に……。この状況に浸っている時間だけが、唯一《ゆいいつ》本物の幸福を感じることができた。

やがて、恵美子の顔も赤らむ。もともと肌が白いせいか、変化が顕著に現れているのに自分では気づかない。しかし、そんな些細《ささい》なことは遥《はる》か彼方《かなた》の遠い世界の出来事のように感じられた。

「5……4……3……いまだ！　服を汚さないように、それをあっちに向けて！」

クチャ、クチャ、クチャ。

やがて性器が震えおののきながら、虚無の暗闇《くらやみ》に向けて精液をほとばしらせた。

宇宙に発射されるべくウォーミングアップしていたロケットが何故か勢い余って、中で待機していた乗組員だけを上空八千メートルに吐き出したような喪失感。いまは、そんな混沌《こんとん》としたヴァーチャルな心象風景だけが信じるに足るのだ。

　最初は射精の瞬間に合わせ、岡田はモデルガンの引き金を引いてしまおうと考えていたが、結局はやめた。あまりにも幼稚なクライマックス感の演出は相手をも白けさせてしまうような気がしたからである。そもそも、それはあまりにも事実とは異なる茶番じみた脚色なのだ。これが、淫《みだ》らで人道的に許せぬ犯罪が二度と再び起こらぬようにするための検証だというのを決して忘れてはならないのだ。

　岡田は口をだらっと開いたまま、頭を後ろに倒した。両腕も同じようにぶらんとした。硬直した筋肉が次第に弛緩《しかん》。

　しかし、自己嫌悪《けんお》のあまりにびくりと悪寒《おかん》で身を震わせてから、すぐに元に戻った。たとえこの一回きりであろうとも、他人に射精の瞬間を見られた恥ずかしさを悔やんだ。しかし、顔は見た目には蒼白《そうはく》なままであったので、その内面で煮えたぎる憤怒《ふんぬ》を誰も読み取ることは出来ないだろう。

〝この売女《ばいた》は俺にとんでもないことをしてくれたものだ……〟

吐き出された憎悪《ぞうお》で、赤い風船が醜くパンパンに膨らむ。

「これで手を拭いたほうがいい」

まず自分の性器の先端や手の甲に付着した精液を納得いくまで積極的に拭き取ってから、虚《うつ》ろな表情で岡田は恵美子に男性誌のロゴが入った洒落《しゃれ》た柄物のハンカチを渡す。

「ハンカチは同じのを沢山もってますから、それはあなたに差し上げます。ちゃんと洗ってから使ってください」

彼女は嚙み終えたガムを汚れた四つ折りにされたそれに包み、どこかに適当に置いた。やがて滲《にじ》みだした精液が店内に異臭を放つ。

〝ここで射精したのがバレないのだろうか……〟と岡田は少々不安な気持ちになっていた。

そこへいままで奥の部屋に引っ込んでいた陽子が、コーヒーを盆に載せて運んできた。タイミングよく岡田の性器はすでにズボンの中に戻っていた。そして何事もなかったかのように無表情になった。最早《もはや》、その表情から後ろ暗い悦楽も生き生きとした喜びの類《たぐい》も窺《うかが》うことは不可能だ。

「クリームと砂糖は？」

「ええっとブラックで……いや、実は私はルポライターをやってまして、先程、私が殴られたのは何故《なぜ》なのかというのにも大変興味があるのですよ。もしもこのお店が何かのトラブルに巻き込まれているのであれば、わたしなりに力になれることがあると思うのですが……」

岡田は、花のイラストを小粋《こいき》にあしらった名刺を出した。

「そうね……。親切そうな岡田さんには、このことを相談してもいいかも知れないわね……」

陽子は三人分のコーヒーを鏡台の前に置くと、恵美子に目配せした。すると彼女は配達されたばかりの絵ハガキを岡田に手渡した。

「何ですかこれは……この絵は、いったい？」

岡田は息を飲んだ。

「巧《うま》いじゃないですか、これは……。私は絵のことはよく分かりませんが多分、二科展とか日展とかで受賞経験のあるような人物の作品ですよね、これ」

「いや、こんなのは最悪です！」

自分の作品を褒めたのと同じ人間が、こんな最低な絵をいいと思うのは恵美子にとって許せないことだった。

「絵の出来不出来は個人の美的センスに判定を委《ゆだ》ねるとして、問題は裏の文面にあるのです」

陽子にそう言われてから絵ハガキを裏返してみる。

〝非合法の警備会社からのお知らせ。当方の防犯サービスに加入しなければ、看板の破損や投石によるウインドーの破壊、店先での人糞《じんぷん》放置、ゆくゆくは店内の放火などの不幸な目に合うことになります〟と書いてある。

「差し出し人は小林という男です。彼は以前、私の主人でした……。彼はいったい別れた女房相手に、世でいう、ゆすりとかたかりの類をしようというのでしょうか？」

陽子の質問に答える前に、岡田は例の黒飴《くろあめ》をひとつ口に頬張ってみた。

それは予想を遥かに越えた不味《まず》さだった。口に入れる前からその黒飴は、肥大化した難民の子供の頭部を連想させていた。それが原因なのか？

店を出て、黒飴を吐き出すとすぐに腕時計に目をやり、時間を確認。何故か靄《もや》が掛かっていて、時計が読めない。

文字盤上のガラスにこびりつき乾燥した精液を、上着の袖《そで》で軽く拭《ふ》き取る。

やがて日は落ちた。すでに午後八時を過ぎている。

今日は昼からひどい偏頭痛がして、陽子は殆ど仕事をせずに奥の部屋で横になっていた。もっとも最近は客がめっきりと減って、特に忙しい時はなかったので助かった。

閉店時間になり、恵美子は道具をかたづけながら陽子のカジュアルな服に少ししわが寄っているのに気が付いた。それは快適に過ごすためのお気に入りのラフなものだった。

「陽子さん、気分はどう？」

「ええ、あなたのお陰でだいぶよくなったわ」

しかし、その表情にはいまだ暗い苦痛が隠しきれずに残っている。

「偏頭痛は本当につらいんですってね……。うちの母親もそうだったんですよ」

心配そうに恵美子が言った。

「私なら大丈夫よ。これから組合の会合があるから、このヨレヨレの服を着替えなくちゃならないし……。後は私がやっておくからあなたは先に帰っていいわよ」

「分かりました。じゃよろしくお願いします」

恵美子は意外にあっさりと掃除道具を放って、すぐに荷物を手にして店を出た。

店の掃除が終わったと同時に陽子は急いで鏡台に向かって化粧を始めるが、体の奥から湧《わ》き上がる吐気を我慢できず、突然高価な服を台無しにしてしまった。口紅のドギツい味が嫌で仕方がなかったのだ。

髪にカーラーを巻きつけたまま、黒いドレスを脱ぎ捨てる。全裸で再び鏡台に向かう。

彼女はいつも自宅では全裸で過ごす。その方がリラックス出来る。恵美子は既に帰ったし……。

時間に追われ、手がすべって、アイブロウが上手に引けず眉《まゆ》が太くなってしまう。

しかし、彼女の我慢強さは人一倍。下手なメイクでもいい。完璧《かんぺき》主義者でなければならないという決まりはないのだ。そんなことより、醜い自分に耐える強い人間にならなくちゃ、と言い聞かす。

汚れたドレスにひどいメイク。それで恐る恐る店の近所を試しに数分歩いてみた。陽子とすれ違った人々は皆、怪訝《けげん》な表情をする。キャアキャアとTV番組のおどけた低能タレントを見るように面白がったのは、頭の足りなそうな子供たちだけだった。

「格好なんてどうでもいいじゃないのよ！」

外を歩く人々の反応は様々であったが、誰に対しても腹が立って仕方がなかった。

この日はやけに風が強く、苦痛を伴って生命を宿した樹々《きぎ》が狂ったように戦慄《せんりつ》し、ここかしこで絶え間なく悲鳴のような風音が聞こえた。いくら存在を消しても、災いをもたらす死神の通った跡には不吉なざわめきが残ってしまう。

運命の犠牲者として選ばれた陽子は、恐らくそのとき非常に気が立っていて、他のことが冷静に考えられなかったのだろう。

ポプラの並木道の交差点でボーッとしているところを、小林の運転する血に飢えた凶暴なダンプカーが遠慮なく彼女を轢《ひ》いたのだ。

頭皮から毛髪が解放されて、コンクリート製の路上に散らばった。地面が傷ついてそこから血が吹き出したのかと現場を見た誰もが錯覚したが、実際には陽子の血がこぼれたものと判断し、納得した。

＊

「ヨウコっていうのか、あの女！」

　事故の被害者の名前が知人の女性と同じであったので、心配で度肝を抜かれ、悲《ひ》歎《たん》に暮れる手前まで行った。葬式で棺桶《かんおけ》に入れられた彼女を想像した。その亡骸《なきがら》に近寄ると何故《なぜ》か死んでいる筈《はず》の彼女の美しく長い指がゆっくりと親切に徹也の繊細な部分を包み、やがて次第に激しく愛撫《あいぶ》してくれる場面もついでに瞼《まぶた》に思い描いた。暫《しば》くして今度はみだらな空想に溺《おぼ》れる自分を叱《しか》りつけた。

「いや違うよ、あいつは容器の容の方だよ」

「じゃ、安心だ。別人だもの」

「けど、彼女だって事故で死んだって訳じゃないんだぜ」

「じゃ、生きてるの？」

　職場の友人同士である徹也と茂は処理を担当した事故の件で、夜勤明けの社員食堂にて大いに盛り上がった。秘められた欲望を、必死にひた隠しながら……。

大量に放出された血液を有効に再利用する為《ため》に、警察や救急車よりも早く事故現場や殺人現場に派遣される。単なる酔っぱらいや浮浪者同士の小競り合いなどで路上に流されたごく少量の血でも、情報を聞きつければいつでも駆けつける。特殊な最新技術で、一滴でも多くの血液を蒸発してしまう前にバキュームカーに取り付けられた特殊装置で採集し、ラボで不純物を取り除いて再利用するのがこの仕事だ。最近、あらゆる企業のなかで最も伸びている話題のベンチャー企業である。だからこそ採集を完了した充実感を、朝食を食べながら嚙《か》みしめるのは最高のひとときだ。

「生きてるんだか、死んでるのか判《わか》らん女の話なんかどうでもいい。いい加減にしてくれよ！　今、俺の気にかかっているのはそんなことじゃない」

「じゃあ、何だよ」

徹也は興味津々《しんしん》に尋ねた。

「ズバリ言うけど、セックスだよ」

「何？　セックス！」

急に徹也の顔がムッとした表情に変化した。瀕死《ひんし》の女の話を中断して、何故セックスの話をしなければならないのか納得できないのだ。

「ピロートークだよ」

互いの会話は止まった。しばらくは目を合わすことすらなかった。

仕方なく茂は無言でその場を立ち去ろうとした時、その隣の席に太った若い女が顔をしかめて朝食を食べているのに気付いた。どうやらセックスという言葉が不快で彼らに腹を立てているらしかった。茂は彼女に向かって一応微笑してみたが、彼女は余計に顔をしかめただけだった。そしてどこからか白い包装紙にくるまれたチョコバーを取り出し、ムシャムシャと食べ始めた。まだトレイの上に載った朝食を食べ終っていないのに……。

「おい、喰い散らかすなよ」

徹也も彼女の不穏な態度に気が付き、思わず立ち上がって注意した。どうやら丸まった包装紙を徹也のひざの上に捨てたらしく、彼が僅《わず》かに動いただけでチョコのカス等のゴミが大量に床に落ちた。

茂は一瞬、彼女の背後のゴミ箱にチリトリが立て掛けてあるのが目に入った。例のチョコレートの喰いカスを片づけるのに使うには、少々大袈裟《おおげさ》だと思った。掃除の人か誰かが後で掃除すればいいだろう。

そうこうしているうちに徹也はサーカスの熊《くま》のようにのそのそとあっちへ行ったりこっちへ来たりして、まるで落ち着きなく立ち去った。考えごとをしているときはいつも、そんな調子になる。

気を取り直して茂は、不快に歪《ゆが》んだ顔をした彼女をじっくりと観察してみた。こういう機会は滅多にあることではないし……。いつどんな事情で自分がこのような顔や容姿にならないという保証はない。そのための研究を怠ってはならない。妙な偏見を捨て、彼女の醜さに隠された思考を垣間見《かいまみ》てみようではないか。まさに虎穴《こけつ》に入らずんば虎子を得ず、である。

その太った女は白いセーターを着ていた。汚ない髪が安っぽい黄色い輪ゴムによって、うしろに束ねてあった。輪ゴムは近所のスーパーで、惣菜《そうざい》を買ったときに付いてきたものだろう。そして激しく寄せられた眉《まゆ》、ギロリと輝く目が、最大級の憎《ぞう》悪《お》と殺意にまで発展しかねぬ陰鬱《いんうつ》なオーラを発していた。呪《のろ》われた陰獣的な眼差《まなざ》しとでも呼ぼうか。この様子では、絶対にいままで男と寝たことはないだろうと想像できる。

しかし、ここまで人間は醜くなれるものなのか……いやはや、骨の髄まで……これもいわば限界への勇気ある挑戦。穏やかであろうとか、少しは美しくみられようとかいう欲望を、彼女は物心ついた時から憎しみを持って放棄したに違いない。小児期の理想主義的博愛の世界観と共に冷酷に葬《ほうむ》ったのだ。

何が美しいのか、美しくないのか……その美的価値基準を他者から押しつけられることに彼女は大胆にも断固として抵抗しようというのだ。それが納税と同じく文明社会に係わる者のルールだというのなら、問答無用に全《すべ》てを徹底的に破壊すべきだと声高に己の心の中だけで独白することが習慣化……勿論《もちろん》、この主張のためなら彼女は残虐《ざんぎゃく》な殺人すら厭《いと》わない。初めは民衆にとって他人事であった筈の醜さの定義がいきなり、顔が皺《しわ》だらけで髪が薄くなったり腹が突き出て肉が弛《たる》んだ者までをも含み、より多くの（中年層を中心とした）人々の参加が期待される。彼らの言わんとする、醜さの中に恥辱よりも栄光を見出《みいだ》そうという魂の渇仰《かつごう》は、万人に受け入れられないとは必ずしも云《い》えぬ。だから美人コンクールの落選者から優勝者までが対象の、顔面破壊を中心とした暴力行為を全員揃《そろ》って反復せよ。主催者から簡単に名簿を入手できたので、美人村襲撃のために無統制な醜悪の軍隊が駅前ロータリーに結集。言語でない何かをわめき散らし、互いに抱き合う。こうでもして視線がすれ違わないと、互いの醜さに嫉妬《しっと》して理由なき流血を呼ぶ内部抗争にも発展しかねないからだ。彼らを鎮圧する戦術はない。

いずれにせよ、この醜さは〝何もかも浄化されて美しくあれ〟と強要する文明への怒りの異議申し立てなのだ。

放っておいても感じるままに次から次へと溢《あふ》れ出る、個人的な憶測を捨てて、茂はただ純粋に彼女の顔を眺めようと軌道修正した。

凝視すればする程にそれは顔であることを止《や》め、何か得体の知れぬ物体のように見え始めた。

人間の顔があるべき部分に、何故か絵柄が描かれている。不明瞭《ふめいりよう》にもかかわらず、絵は細かく書き込まれているのが判る。地上から眺めた構図。汚物の中で蠢《うごめ》く人々。これは地獄絵図に違いない。

そこに鬼やら化け物の姿はない。ただ額の肉が崩れて狭い街路のように見えるだけだ。道幅が狭過ぎて通行人が押し潰《つぶ》されそうになって苦しんでいる。彼らは血ヘドを吐いて、地面を汚す。連中を助けたい、と思っても俺は何もできず、見ていないかのように目を別の部分へと向けるしかない。胸が締めつけられる。太った女の荒廃した顔面から発せられる人々の絶叫。

かつて彼らが住んでいた冷たいコンクリート製の貧民団地。不味《まず》くて不衛生な惣菜屋ばかりの商店街。放火されたまま復興の目処《めど》の一向に立たぬ老人ホーム……俺はこの世界での滞在を、断固として拒否する。こんなに貧しく、気味が悪いのはごめんだ。だいたい、こういう醜いものは所詮《しょせん》みな決まって三流だ……まるで興味が持てない。

常に一流と見なされているものと俺は接していたい。そういう値打ちのある出会いは、知らぬ間に俺の価値を次のレベルへと確実にステップアップしてくれるからだ。

自由奔放に考えごとをしている間に太った若い女は自分の部署へ戻ったようだった。茂も血液バキュームカーに乗り込んで待機している徹也を追って、駐車場に向かった。エンジンが動きだして暫くしても、彼らは互いに話をしなかった。

「返してやらないと」

運転する徹也の声は、窓から眺めた空虚な街並の放つ臭気から茂の意識を引き戻した。

「陽子とかいう女がまだ生きてるなら、そいつの血液を返さないと」

「おお、そうだな」

茂は徹也の意見に同意した。その日の午後のパトロール中に彼と話したのは、たったこれだけ。

その日が最後の仕事となったのだ。

バキュームカーを大きな広場のある公園の脇に止めた。

「畜生、この息の猛烈に臭い糞《くそ》百姓！　後で、でっかい石で頭ブチ割って殺してやるよ」

茂は徹也の襟《えり》を両手で摑《つか》み、彼の身体を公園の大樹に向かって投げつけた。

結局、上司の指令で陽子という女の血液は返還されないことになったのである。

その理不尽な会社側の営利優先の判断に、積極的に従った徹也が許せなかったのだ。

しかし、今度は逆に茂の方が派手に殴られた。不気味な位に無言で、何度も顔面ばかりを狙《ねら》った。意識が遠のいた。

＊

目が覚めると朝だった。うっすらと霧《きり》が広場を覆《おお》っていた。

〝恐らく、俺の顔は醜く腫《は》れ上がっているに違いない〟と茂はまず最初に考えた。

そして、昨晩の格闘の記憶が断続的に蘇《よみがえ》る。身体の痛みが刺激して、忘我と覚醒《かくせい》を交互に繰り返させる。眠っている間にもそれが反復されていたらしく、心地よい目覚めでは決してなかった。さらに鳩尾《みぞおち》に食らった最後の一撃が今頃になって痛み始めた。これを鎮《しず》める手段を探して、必死に辺りを見回した。

目の前の不明瞭《ふめいりょう》な靄《もや》の中に、飛び立つ準備をしているらしい白い熱気球と、その所有者らしき男の姿があった。その隣にもうひとり盛んにメモを取っている男がいる。雑誌の記者か何かだろうか。茂は顔にこびりついた血や服に付着した砂や屑《くず》を払ってから、霧の中をかきわけて彼らに近づいた。

「では、もともとこういう熱気球と関係あるお仕事をなさっていたわけではないのですね、関根さんは」

記者らしき男が尋ねる。常にメモ帳を手放さない。

「ええ、そんな夢みたいな仕事は最初からこの世には存在しませんよ。いくらなんでもそれはねぇ、ハハハ」

熱気球の持ち主らしい関根という男が答え、余裕ある微笑《ほほえ》みを浮かべる。

「ですよね。気球が完成するまで、血ヘドを吐いてしまうような努力をなさったと聞いてますよ」

「以前は過労死寸前まで行くのではないかという程に忙しい会社勤めをしていました」

「何の会社だったのですか？」

「熱気球とは全然関係のない園芸用品の輸入販売などですね。全国にチェーン店のあるような、業界では比較的大きな会社でした。結構、景気はよかったですよ。僕が勤めていた頃は、我が国の家庭菜園ブームがいちばん盛り上がっていた時ですからね。でもこのままではいかんと思い、会社をやめました……。それでいろいろ考える時間が増えて、急に子供の頃に夢中になって読んだジュール・ヴェルヌの小説のことを思い出し、これからの人生を熱気球に賭《か》けることにしました。それ以来、毎週土曜はこうして気球やってますよ」

「自分の長年の夢を実現する為《ため》に、奥様と離婚までなさったとか？」

「まぁ、そんなようなものですね……どこも、亭主の趣味をなかなか理解しようとはしませんよ。おかげで、まぁ、自分のやりたいことやるには多少の犠牲もやむを得ないということを学びました。仕方ないです、これぱっかりは」

「話は変わりますが、ちょっと下らないことお聞きしていいですか？」

「えっ。はい、どうぞ」

「この気球で独身女性の部屋とか覗《のぞ》こうと考えたことはないですかね。着替えのときとか狙《ねら》ってこっそりと……。実行してなくても、男性なら少しは考えたことくらいあるでしょう。そういう記事を書きたくてしょうがないんですよ」

「何を仰っているのですか、あなたは……」

先程までの機嫌よさからは打って変わって関根の態度が不機嫌になったが、ちょうど巧《うま》い具合に出発の時間になったらしく、記者の意思とは関係なく取材は終わっていた。

子供ではないのだから、誰も気球なんかに興味はない。ただ何となく見つめていただけなのに、そこに先程の記者が茂の方に近づいてきた。

「あなたも気球とか好きなんですか？」

茂が無視すると、今度は名刺を差し出した。

「私はルポライターの岡田です。気球が空に飛び立つのって、見ていて気持ちがいいですね。熱気球って形が何処《どこ》か精子に似ていませんか。それに、可能な限り遠くへ飛んでいこうという欲望も似ている……」

〝熱気球が精子に似てるっていうのは、ちょっと無理がある〟

身体の痛みや疲労、睡眠不足のことで頭がいっぱいの茂は、岡田の意見にわざわざ反対するのが面倒なので、心の中でそう言うにとどめておいた。

岡田はタウン誌の仕事を終えると、タクシーでいったん自宅へ戻った。そして、汗ばんだシャツを着替えて留守番電話に何も録音されていないのを確認してから、早朝にもかかわらず部屋を出た。彼ほど有能なルポライターになると、寝る暇などあるわけがなかった。いまから単身で『醜いアヒルの家』を張り込むのだ。

彼のアパートは近隣に空き地が目立つ、極端に人通りの少ない袋小路にあった。繁華街が近いとはいえ、ここは黒い樹木ばかりが目立ち、冷酷なまでに人間生活の名残りをとどめてはいない。いつか見た報道写真の中の、戦火や疫病《えきびょう》によって見捨てられた村落を思い起こさせた。

結局、大通りに出るまで続く、窒息死するに至るかと思われるほどの息苦しさは全《すべ》て陰気な樹木たちが演出しているのだった……視界の中に亀裂《きれつ》が入ったかのように乱立する枯れた木々に対し、岡田の憎悪《ぞうお》が頂点に達する。と同時に、彼は身の危険を本能的に感じた。

「お前は岡田だろ？」

木の背後から鉄槍《てつやり》を持った三人の毛糸の目出し帽を被《かぶ》った男たちが突然、目の前に現れたからである。連中は恐らく小林が寄越したのだろう。

岡田には三人が相手の喧嘩《けんか》なんて経験はない。しかも火炎瓶までも何本か用意されて、連中の足元に置かれている。しかし、いつかホッケーの試合を観戦したときの興奮が岡田の脳裏に猛然と湧《わ》き起こってきて、気が付いたときには連中に向かって攻撃的な表情で突進していたのだった。

〃この中の一人だけを集中してブン殴って、ひっ捕らえて吐かせれば、小林の奴《やつ》が何を考えているのかが判《わか》るぞ〃

彼にとってこれは絶体絶命のピンチなどではなく、重要なヒントがのこのこと自らやってくるというまたとない、素晴らしいチャンスだった。

連中の武器である鉄槍は非常に粗末な手製のものだ。工事現場から拾ってきたようなみすぼらしい鉄パイプの先に、市販の包丁が針金で固定されているだけ。各自、自前で製作したものらしく、一本一本に個性があった。

中でも一番小柄な男の持っている鉄槍は、厳密には包丁ではなく使い古されたハサミが括《くく》り付けてあり、揺れるたびに先が鳥の嘴《くちばし》のようにパカパカと開いた。これでは、ただの幼児番組の人形劇にしか見えなかった。

そいつがコソコソと岡田の背後に廻ろうとした。他の二人が身構えるよりも前に、背後の膝《ひざ》を蹴《け》り飛ばした。相手は油断していたらしく、悲痛な声をあげて仰向けに後頭部から地面に叩《たた》きつけられた。

こういう喧嘩は正々堂々とした殴り合いが常識で、最初から蹴りで攻めるというのはまずない。これは見事に相手の意表をついた戦術といえる。

素早い攻撃に呆気にとられ、二人は小柄な男を助けることができない。あまりの接近戦のせいで岡田を火ダルマにするための火炎瓶は結局、投げられることなく地面に放置されたままだ。

岡田は次に小柄な男の顔を抱え込み、いつか観戦したサッカーの要領で鼻柱を情け容赦なく熱狂的に何度も膝で打った。

＊

痛みはまだ癒《い》えぬ……。それが朦朧《もうろう》とした意識と交差し、切れた蛍光灯のようにジリジリと点滅する。自分がいまどこにいるのかすらも判《わか》らない。

いったん家に帰り、約束を思い出してすぐに部屋を出た……ちゃんと指定された時間きっかりに到着したはず……残念ながらここ数時間のことは、途切れ途切れの記憶しかない……これではただの酔っぱらいと同じだ。

そうこうしているうちに何だか眠くなってきた。寝ている場合ではないので、慌《あわ》てて窓の外を見た。時折、赤いワンピースを着た女が辺りをうろうろしているのが遠目に見える他は、ただ日光が眩《まぶ》しいだけで興味をひくものは何もない。仕方なく床の絨毯《じゅうたん》の模様に視線を落とす……とにかく、絵柄が細かい。

茂が次に何気なく目を向けた場所には一冊のノートが置いてある。頁《ページ》を開く前から何が書いてあるのか判っていた。

この古い木造建築の家の中で、目についたのはそれだけ。他には受験生の勉強部屋らしき小さな部屋のベニヤでできた壁に、拳《こぶし》で開けたと思われる無数の穴があったことぐらいか。床には画鋲《がびよう》と雑誌に掲載されたアイドルのグラビアの切り抜きの切れ端が落ちていた。

「汚くてすいませんね」

隣の部屋からここの管理者の高橋が謝る。壁は薄いから別の部屋に居ても会話は十分にできる。しかし、結局目の前に存在していない相手との対話なんて弾むわけがないから、鼻から息を強く吐いただけで返答したつもりになった。

「ずっと誰も住んでませんから」

やっぱりわざわざ受け答えるのが面倒だから鼻をグスリと鳴して、無言のままにする。

茂にとって高橋は、かなり以前からの知人のはずなのに、彼のことは何も知らないような気がした。

一応、自分は隣の部屋に居ますが会話する気は余りありません、という意図を伝えようとしたのだ。勉強部屋で特に何かすることがあるわけでもなく、身を持て余したまま時間が過ぎた。熱が七度ほどあったし、そのとき少々頭痛がしていた。悪《お》寒《かん》のせいで部屋の中を無目的にうろつく気にはなれない。

茂のこれからの収入ではいま借りている部屋は、とても家賃を払えない。だから友人の不動産屋の高橋に頼んで郊外の手頃な値段の家を紹介して貰《もら》っているところだ。

気が付くと、隣の部屋に居たはずの高橋の気配がない。どこかへ行ってしまったのだろうか？

茂は初めて来たこの家で、勝手に横になってくつろいでいる。鍵《かぎ》を持っている高橋が居なければ、ここをちゃんと戸締りして出ることができないではないかと不安に思ったが、やがてそんなことはどうでも良くなった。前日に徹也から殴られたのと睡眠不足から、意識が混濁し始めたからだ。陽光が差し込むせいで居心地のいいこの勉強部屋は、今が冬であることを完全に忘れさせた。しかし、どこからか入ってくる冷たい空気が深い眠りをさまたげる。確かに先程、自分の家を出る時に冷たい風が朽ちた木の葉と共に、茂の体を包んだのを思い出した。クリーニングから返ってきたばかりのコートを取ってこようとあわてて家に戻ったが、結局どこにしまったか判らず、薄着のままここに来てしまっていた。

眠れるか、眠れないかという不安定な意識の中で、再び例のノートが気になり始める。中身は既に判っているが、実際に手にしてみないと落ちつかない。視界に入ってきたノートを消し去ろうと、茂は何度も目をつむった。

昨日、血液バキュームの会社をやめたばかりだった。何の計画もなく、突然の退職。特に自分の生き方を大きく変えてみようという考えも全くない。上司に話すと「どうぞ。ご自由に」と簡単に返事が返ってきた。

大した不満もなかった職場。常にベストをつくして自分なりに工夫やら努力をし、同僚との徹底したディスカッションが効を奏して素晴らしい実績を残してきた自負はある。が、その時々の仕事をこなすのが精いっぱいで、会社員である以外の自分と向き合ったことが今までなかったのだ。これでは労働者としては一流でも、人間としては三流なのではないだろうか？

　長い労働者生活が身に染《し》みついてしまっているせいで、すぐには新しい人生観や生きる目的を発見できそうもなかった。希望と現実との距離を無視するなんて茂には不可能だった。

　しばらくはうつらうつらとしていたが、やがて眠気は覚めて再び身を持て余すようになってしまった。少々暑い気もして来たので、シャツを脱ぎ上半身が裸になる。胸の純金ペンダントが光る。

　とりあえず勉強部屋の窓から庭を眺めてボンヤリした。木や伸び放題の草むらが、この古い家を周囲から見えなくしていることが、室内からでもハッキリと確認できる。道路から少々はずれたこの一軒家の存在自体が、近くに寄らなければ認識できないものであったので、地元の人間以外にはただの雑木林にしか見えない。

　近所の人間がこの家の前を通ると、誰もが空虚な気分になった。子供だろうと大人だろうとたちまち思考停止し、家に向けて石を投げ始める。だからこの空家ではしょっ中窓ガラスが割れる。しかし、一回その音を聞いてしまうと後にやってくるひっそりとした静けさがより一層淋しさを感じさせるので、さっさと去りたくなってしまう。

「何やってんだ、この野郎！」

高橋はよくそういう現場を押さえるが、相手が子供の場合ならともかく大人の場合は怒鳴りつけたりはしない。空《むな》しさで胸いっぱいの彼らに向けて大声で一喝すれば、グッタリと落ちた肩がたちまちシャキーンとし、背すじを伸して堂々と去って行くだろう。高橋はあえてそんなことはしない。ガラスを割った罰として、連中の気を滅入《めい》るだけ滅入らせておくのだ。

窓はどれも閉っているはずなのに、急に寒い気がしてきた。多分、どこかのガラスが割れたままだったのだろう。にもかかわらず、茂は横になった状態でジッパーを下げて性器を露出させた。管理人の高橋に内緒でこういう行為をするのは、何とも愉快なことだと突然思えたからである。

一度外気に触れさせてしまうと、全《すべ》ての神経がそこに集中して、茂の視線は自分の勃起《ぼっき》したペニスに釘付《くぎづ》け。目がピッタリと離れず、前を見ることができないからだ。

「おい、おまえ。そんなものはしまえよ！　薄汚い」

いつの間にか庭に現れていた男が茂に言う。奴《やつ》の背後には小さな子供たちが数人いた。

彼らは今まで勃起した成人男性を見たことがないというような驚きの表情で茂を見つめる。どれも無邪気な瞳が好奇心でらんらんと輝いていた。茂は無意識のうちに下腹に力を入れて、挨拶《あいさつ》がわりにペニスをペコペコと上下させていた。

「おじぎしているね。まるで生き物みたいだよ」

いかにも親切なその口調に対し、子供たちは互いに冷たくこそこそと話し合う。先客である茂を完全に無視して、いつしか到着したＴＶ局のスタッフたちが撮影の準備を始める。

ペニスを見つめたままで、全く事情がつかめぬ。どうやら、この廃屋で何やら子供番組の収録が行なわれるようだ。何もわざわざこんな陰気な場所で撮影しなくてもいいのに。

手際《てぎわ》よくビデオ・カメラや照明を運び、黙々と配置する奴らに茂は慎重に選んだ憎悪《ぞうお》の言葉を投げつける。心の中で。それに気付いたかのように、連中も〝何なの、あれ〟と軽蔑《けいべつ》の念を投げ返す。やがて陰気なこの家で、余計不快なムードが充満し始めたのに茂は気付いた。

暗い勉強部屋に照明機具が発する人工の光が庭から入ってきて、辺りを明るく照らす。

しかし、茂の目は自分のペニスに固定したままだったので、ペニスの背後にある世界が明るくなろうと暗くなろうと知ったことではない。

「手品じゃないんだよ、これは」

一瞬、目をつむって疲れた目を癒す。凝視し過ぎて、ペニスが透明に見えてきたから。これでは、不鮮明な色彩の混沌《こんとん》をじっと見つめてるだけになってしまう。そこからは、何も生まれやしない。

不自然なスタイルで性器丸出しの茂を無視して、番組の司会者である女性タレントが赤いワンピース姿で登場。遅れて到着したものの、周りのスタッフに詫《わ》びの言葉はない。

「こういうボロボロの家での生活は大変不便です。しかも、ここは田舎です」

司会の女はいわば子供たちを引率《いんそつ》する先生のような役だ。それが結構いい女だったので、彼女に見られているという意識のため茂の勃起は止《や》まなかった。〝あの手に持ったマイクが俺のペニスだったら〟と思うとどうすることもできなかった。

「死体が！」

顔色を変えてTVスタッフの一人が走ってやってきた。

「何？　ちょっとカメラ止めて！」

ディレクターらしき男が慌てて大声で言った。茂の意識と目が自らの堅い部分から解放されて、緊張した撮影現場の方へと向いた。

しかし、勿論《もちろん》それだけでは事件の全容はつかめない。茂はペニスを元の鞘《さや》に収め、ジッパーを閉めて、急いで死体があるらしき場所へと駆けつけた。上半身は裸のままで。

皆は撮影現場のすぐ脇《わき》の小屋にある大量のニワトリの死体のことで、大騒ぎしているのだった。かなり以前に死んでいるようであったが、死因が長期の放置による餓死なのか、犬が小屋に飛び込んでニワトリたちを殺したのかはひと目見ただけでは判らない……。ここはプロの本格的な検死結果を待たねばなるまい。

茂は〝恐らく長い間、単にろくに餌《えさ》も与えられずに彼らは放置されていただけのことなのだろう。何をどうというわけでもないことで、いちいち騒ぎやがる。連中にはもうウンザリだ〟と密《ひそ》かに思った。

「何でこんな嫌な雰囲気の場所を選んだのよ！」

女性タレントがヒステリックな怒声を上げる。

全員が不快を顔に表し、倦怠感《けんたいかん》や欠乏感を心の中に認めた。事情をよく理解していない子供たちまでもが、大人に合わせて嫌な表情をした。

「ここじゃなくて外で撮ろうか」

ディレクターらしき男が出演者全員を敷地の外へ出す。スタッフも慌てて機材を運び出し始める。

茂も関係者のフリをして一緒に機材の運搬を手伝い、公園に向かう。特に違和感はない。

今までベンチにすわって、池のアヒルか鴨《かも》にエサをやっていた縮れ毛の男が立ちあがった。その瞬間、辺りの空気が淀《よど》み始めて、湿気が発生する。

このベンチにすわった人間は、誰もが水上から見た公園の桜の姿の美しさを想像し、ボート乗り場に駆けつける。そして、水面に映った淡い薄桃色が爽快《そうかい》な春風によって官能的に揺れるのを見て、欲情する。それは男性とも女性ともつかない異様な性だけが持つ、頽廃《たいはい》して歪《ゆが》んだ、異次元の肉体を連想させるのだ。

乗り場に係員が誰もいなかったおかげで、縮れ毛の男は無料でボートに乗れそうであった。スポーツ紙とタバコを買ってしまったせいで、持ち合わせは全くなかったのだ。非常にラッキーな状況であったが、彼は特にそう感じなかった。何も考えてなかった。

「あれ、押さえで撮っといてくれ」

TV局のスタッフが近所で最も有名な散歩コースである公園に到着するや否《いな》や、池の上のボートを指さしてカメラマンに指示した。

茂は照明の準備をしながら池の方を見る。

「おっ、男がボートに乗ってるぞ」

まだスタッフたちは茂に馴染《なじ》めないらしく、誰も返答しない。

「あいつ、毛が縮れてるぞ」

しばらく間を置いて、もう一度言ってみる。

「縮れてるよ、髪が」

メイン（といっても一人しかいない）の照明係がようやく反応する。

「視力がいいんだなぁ。あんた若いから」

腹が出た中年の照明係は、何か言う度にトムとジェリーのワッペンが縫いつけられたキャップを被《かぶ》り直す。彼の頭髪が薄いかどうか茂が確認する前に、キャップを再び被ってしまった。

茂は以前、美容院での勤務を希望していた。実家でくすぶっていた頃、ハサミで何度もカチャカチャと空を切りながら、いつも外を眺めていたのを思い出す。通りの向こうからこちらの方へやってくる人間が整髪を必要としているかどうか、すぐさま判《わか》るようにいつしかなっていた。だからといって別に客引きをする訳ではないから、これは単なるヒマ潰《つぶ》しに過ぎなかった。

以来、遠くを見れば常に毛髪だけが目に飛び込んでくる。誰がどんな顔をしていようとも興味ない。

「俺、照明係のチーフやってる西壁だ。よろしく」

中年の照明係は親しげに握手を求めた。茂からも安易に手をさしのべた。

＊

〝最初から書き込まれたノートなんて存在しない。自分自身の手で白いノートに字を書き込むのだ。待っているだけでは、充実した内容のノートを入手できないのだから〟

一冊のノートが、今度はズタズタに引き裂かれて深夜のゴミ捨て場に置かれている。

裂かれた断面が、快い風に吹かれてパラパラとめくれる。その瞬間に中に書かれた文字が見える。サインペンか毛筆で記入された、荒々しく太い文字。残念ながら実際にそれを手にしなければ、一体何のことが書かれているのか誰にも判《わか》らないのだろう。

何人か興味を持った者がいた。

止《や》むことを知らぬ欲情の為《ため》に眠れず、深夜一人で徘徊《はいかい》していた男子中学生。彼はコンビニエンス・ストアでポルノ雑誌を買う勇気がなく、どこかに成人誌の自動販売機がないか、どこかにポルノばかりのゴミ捨て場がないかと彷徨《さまよ》い、悶々《もんもん》としていた。

そのノートを中学生は、何者かの性生活が綴《つづ》られた秘密の手記かと期待したが、すぐにそんなうまい話はないだろうと素通りした。触れもしなかった。むしろ、チラリと見えたあの荒々しい文字が、何者かが憎悪《ぞうお》を持って書き込んだ忌わしい呪われたもののように思えたのだ。

中学生はノートが上に置かれたゴミバケツの横を通り過ぎると、しばらくして急に早足になってその場を去った。

次にその一時間後、年齢不詳の浮浪者がフラリと現れ、例のノートがゴミ箱に入っているのを一目見て素通りした。手に取ろうとは思わなかったようだ。もし、それが毛布のようなものであったのなら、すぐさま歩み寄って撫《な》でたりしたであろうに。

引き裂かれたノートの他には、子供が作ったような三流美術品ばかりが捨てられていたので、壊れた家電を直して使うような人にも全く興味の湧《わ》かないただのゴミの山だ。おまけに腐臭の付いた埃《ほこり》が周囲に漂っていた。

三流美術品は全部紙製。金紙銀紙を多用している点がより安っぽさを助長している。

しかも、それらの作品が表現しているのは子供らしい無邪気さではなく、寧《むし》ろ疲労感や倦怠感《けんたいかん》といった類《たぐい》のものだ。見た目からして清潔さが欠如しているし……。

そもそもノートは三流美術品群の仲間だろうか？　互いにゴミの山の中で調和を成しているせいで、同一人物によって一緒に捨てられたかのように見えた。

ゴミ捨て場は堂々とした構えの立派な邸宅の門の脇《わき》にあった。その住宅街の中でもひときわ豪勢な造りであったろうと思われる邸宅も、今では近隣住民の誰もが早期解体を望む陰気な廃屋に過ぎなかった。

優雅であったはずの庭園も、永遠に取り込まれることのない汚れた衣類の干し場になっており、玄関を完全に蔽《おお》い隠していた。かつてここが美しい花が咲き果実が実る、快い木陰のいこいの場であったことを知る者はいない。だからといって、この邸宅で心霊現象が起きたとかいう嫌な報告や噂《うわさ》は一切なかった。

しかし、誰も借り手は現れない。法的な処分によって邸宅を管理することになった不動産仲介業者の高橋も、この家に関しては困り果てていた。もう使われていないゴミ捨て場に、久しぶりに置かれたゴミ。これはきっと彼をより悩ませる素材になるだろう。

結局、茂は西壁のオッサンに騙《だま》されてしまい、給料が一銭も貰《もら》えなかった。絶えずムシャクシャして、〝誰がタダ働きでつらい照明の仕事なんかやるものか〟と念仏のように唱えていた。

同じ時期に以前の同僚だった徹也も血液バキュームの仕事をやめたばかりだった

から、互いに喫茶店で発作的にイライラして貧乏ゆすりをしてくすぶっていた。

「西壁の野郎には何か仕返ししてやらないとな。悲惨な目に遭わせてやらないと」

「やめなよ、おい」

徹也は表面的には温和で優しそうなことばかり茂に言うが、本当は内面に獰猛《どうもう》な野獣の血が流れているに決まってる。彼の目を見れば前世で沢山の人間に迷惑をかけているのが茂にも容易に判る。

店内は彼らの貧乏ゆすりの音がガタガタと響いており、客は皆〝この不自然な音と揺れはいったい何？〃と疑問に思ったであろう。

客に好感を持たせるために強調されたチョビヒゲと蝶《ちよう》ネクタイがトレードマークになっているこの店のマスターは、コーヒーカップを洗うことに専念しすぎて、いまだに貧乏ゆすりに気がついていないようだった。

丁寧に洗っていたにもかかわらず、どれもコーヒーカップは汚れていた。

そのうちに店の食器棚から大量のコーヒーカップが落ちて床で粉々になった。貧乏ゆすりの震動のせいだ。

「お客さん！　もういい加減にして下さい」

マスターがヒステリーを起こしながら飛んできた。同時に壁に掛けてあったパウル・クレーか、またはカンディンスキーと思われる複製パズルの完成品が入ったパネルが落下し、チェコ製のガラス細工にブチ当たって、床に落ちた。開店当時からそこにあったパネルは、久々に壁の高い位置から解放されて床でガラス細工の破片と混ざり合い、完全にバラバラになってしまった。

「スイマセン。俺たち仕事のことでムシャクシャしてて、つい」

後髪を自分で撫で付けながら、やや俯き気味に茂はマスターに謝った。

妙に低姿勢な彼の態度の裏に隠された西壁への憎しみを、徹也は十分に気づいていた。

「おい、やっちまえよ。こんな奴《やつ》ちょっと押しただけでブッ倒れるぜ。そしたら、コーヒー代は無料だ」

徹也の言葉に勇気づけられて、茂はマスターを軽く押し倒した。

大した力を使っていないのに、マスターは背後にあった大きな水槽とぶつかって、共に床に倒れた。床に金魚と水とガラスの破片がバラ撒《ま》かれた。

彼らは急いで喫茶店を出たが、すぐに店の前で立ち止まった。茂は所持していたボストンバッグから一冊のノートを取り出して、ズタズタに引き裂いた。時間を無駄にしているような不愉快な感情の爆発。

「いいのか、それ。お前の生きる希望のノートじゃなかったのか？」

徹也が尋ねたが、茂は黙ったまま歩き始め、高級住宅街の方へと向った。

そして例の気味の悪い邸宅の前でノートを捨てたのだ。神経を苛立《いらだ》たせる三流美術品は、茂たちが来る前から、既に置いてあったようだ。多分、近所のガキか誰かが捨てた物なのだろうと思う。

「ついでに西壁の野郎を殺《や》っちまおうと考えてるんだが」

ノートを捨てた場所から三十メートル程離れた路上で茂は徹也にそっと打ちあけると、彼は待ってましたとばかりに微笑《ほほえ》んだ。

「奴を殺さないと納得いかないんだろ。分かるよ。しかし殺人は重罪だ。それだけはどうにかして避けなければならん。どうだろう、西壁ともう一度話し合ってみては。一緒に行ってやってもいいぜ」

そう言い終えると徹也は鉄パイプを拾い上げて、空に向けて急に乱暴に振り降ろした。

「死ね」

野放しにすれば、何をしでかすか判らない。徹也こそまさに生まれながらの危険な殺し屋にちがいない。茂は狂暴な顔つきで知らない人の家の庭先にある鉢植をことごとく破壊しはじめた彼を見て直感した。

次の瞬間に彼らの中で何かが壊れた。鉢植と共に。

茂は割れた鉢植のひとつを拾いあげてみた時に、その失われた何かが何なのか判ったような気がした。しかし、彼にはそれを他人に伝える術《すべ》を思い付かない。

他人とのコミュニケーションを断たれたことによって生じる居心地の悪さ。この不安はどこからやってくるのか？

不安な気分でも、茂の声はいつも可憐《かれん》な音楽のよう。やさしく抑揚に富んでいる。それが彼の武器とも云《い》える。

「なあ徹也、やめろよ。そんなもの壊しても空《むな》しいだけだぜ、実際」

鉢植の悲鳴を聞いたかのように訴える茂。しかし、可憐な音楽をもってしても徹也の心を癒《いや》すことはなかった。

「バカヤロウ！　この世の中は全く遠慮とか作法のない野蛮な世界なんだよ。腕力だけが信じられるような動物の社会学」

こう怒鳴った後に、徹也は鉄パイプを地面に置いて再び茂に語り始めた。

「俺はいつも、自分勝手な大人にずいぶんひどい目に遭わされてんだよ。さしたる理由もなくね。殴られたり、罵倒《ばとう》されたり。かと思えば今度は除け者《の》にされたりね」

下を向いてモゴモゴ話す徹也を慰めようとして今度は茂が話す。

「毎日生きてたら、そんなもんだよね。心底楽しいと感じることなんて滅多にないよ。俺なんか、落ち込んで自己嫌悪《けんお》に陥ることの方が多い。徹也の方がまだましだと思うよ」

「うるせえ！　お前は『醜いアヒルの家』に行ったことないからそんな甘いことがヌケヌケと言えるんだよ！」

徹也がナーバスになったとき、必ずこの『醜いアヒルの家』についての言及が始まる。愚かしくも、何でもかんでも全部『醜いアヒルの家』のせいなのだ。

茂は本当にうんざりして、以降全然彼の話を聞かなくなった。もっと彼にとって重要な興味深いことに没頭し始めてしまったからだ。

こうして、いつも何かが始まろうとする瞬間、サッとよそ見をしてしまう。時計の秒針の動きや地面に落ちているゴミとか遠くに立ってる知らない人とか。まるで重要でない筈《はず》のものが、例えば対話中の相手なんかを押し退《の》けて茂の意識に割り込んでくる。結果、彼は置いてけぼりを食らうことになってしまう。

「おい、人の話聞いてるのかよ？」

皆が皆、そうやって気が全然別の所へいってしまった茂に対して、激昂《げきこう》して胸ぐらでも摑《つか》んでくれたらいい。残念なことに、今までそんな親切な奴は誰もいなかった。

全員ただ黙って何も言わず、周りから立ち去る。

劇的な出来事（いきなり出現した他人から衝撃的な内容の告白をされたり、さっきまで一緒に散歩していた友人が急に心臓発作で亡《な》くなったりする、よくドラマに描かれるような現実にも起こりうる類の事件）なんかに我々が気を取られている内に、直接関係ない様々なものが突然存在するのを止めて消えてしまったり、以前と全く別なものに変化していたりするのではないか。どこの喫茶店にでもあるような面白くもないパリの下町の風景画が、コーヒーを飲み終えて何気なく再び見てみれば、黙って持って帰りたくなるような裸女のエロティックな絵に変わっていたりしてビックリとか……。

最近まで目の前で起きている物事に対して、何故急に無関心になってしまうのか自分でも理由がよく判らなかったが、考えてみると、恐らくそんなことが気になってしまっているのだろう。

本来なら視界にすら入っていないはずのどうでもいいものが、かつてと同じ姿で存在しているかどうか懸命に凝視し、じっくりと検証している間に、相手は無言でその場を去って行く。気が付いた時、既にそこには誰もいなくなっている。

「畜生、せこいフェイント使いやがる」

最初は相手が消滅したのかと思ったが、直《す》ぐに原因が理解できた。ただ単純に彼らは自分から何処《どこ》かへ行ってしまっただけだ。

何も起こらない世界の中で、茂は完全に孤独な男。別にそれが悲しいというわけでは決してないのだが……。

〃他者なんて所詮《しょせん》、俺の意識の中の他人としての俺に過ぎない。現実に予想のつかない容姿や人格をもった人間なんぞに会った経験はない。あくまでも思考可能な範疇《はんちゅう》。決まり切った紋切り型の会話を投げてやれば、定石通りのリアクションが返ってくる……壁が相手のキャッチボールの方がまだ、新鮮な驚きに満ちている……。ティーンが中心となって結成された低能人種向けの稚拙なロックバンドの練習風景に期待できるような、不安定なリズムや不正確な音程の痴呆《ちほう》的な声やただなし崩しにフィードバックしてるだけの爆音ギター、そして何よりも重要な要素である幼稚なセックスを連想させるような大げさなヴァイブレーションがあるわけではない……。どうしても映画『十戒』を思い出さずにはおれない、やたらスケールのでかいプロフェッショナルなバンド演奏を聞きながら、とりあえず泡状の唾液《だえき》を絶えず服や床を汚さぬ程度に滴らせ、目は適度に白目を剝《む》くように心掛けておく。できればその間抜けな表情を誰にも見せない方がいい……できる限り、隠れてコソコソしろ。すると他人との会話の焦点が、テレビの画面、そしてその全《すべ》てを含めた世界のあり方が、何だかぼやけてくるように感じられないだろうか。そうやって敵を自分の視界から全部消し去ればいい。男は外に出れば常に十人の敵がいると思え。最早《もはや》、十人も百人も五十万人も変わりはしない。要するに、手っ取り早く自分以外の人間は皆どこかへ行っちまえばいい。いちいち白痴みたいなフリをしていては何もできないじゃないか。そもそもそんな態度では物好きな介護婦以外、誰もまともにとりあってくれる筈がない。別段、全ての人間が憎いのではない。そりゃ、中には酷《ひど》いやり方でジワジワと殺したくなるような頭にくる輩《やから》もいることはいるが……。とにかく敵味方含め、ただただ俺の目の前から消滅して欲しいと祈るばかりなのだ。しかし、ただあてもなくただ馬鹿《ばか》正直に祈るだけでは当然駄目だ。例えば銀河系の彼方に向けて人類の滅亡願望をアピールするメッセージを、世界の他の人たちの意見も聞かずに黙って勝手に発信するプライベート巨大アンテナの建設計画を、本気でなくてもいいから壮大に構想することを多少は前向きに検討しなければ……。でも結局、あてもなく誰もいない宇宙なんかへメッセージを発信するなんていう育ちのいい子供の考えるような呑気《のんき》な行為は所詮、死んだ神への神聖な祈りと何ら変わりはない。そんな夢のあるような遊び心なんかとっくに持ち合わせてはいない。この宇宙的な規模の憎悪《ぞうお》がピッタリとくる、パズルの一片はどこかに落ちていないのか。ああ、それを探しに気球にでも乗ってのんびり旅をしたい……あくまでも隠密《おんみつ》な旅でなければなるまい。俗人が密《ひそ》かに羨《うらや》むような、スピリチュアルなお忍びの旅にしたいのである。目立とう精神の特権意識丸出しの態度で気球に乗るのは、まるで精神を病んだ挙げ句に脱サラした〈自称夢追い人〉のような、この世界で闇雲《やみくも》に自由を求めている潔《いさぎよ》くない人間みたいで恥ずかしいじゃないか。だが、どうしても乗らなきゃならない場合には、気球の柄や自分の衣装を精巧に描かれた青空の模様にしようか。気球が背景の本物の空に見事に溶け込んで、カメレオンのような効果のお陰で誰にも見つからないと思うからだ。それよりも、何としても気球を入手することが先決なのだ。誰かから借りてもいい。高い金出して買うことはない。気軽に貸してくれるだろうか……。それに誰が持っているというのか？　気球を所有してる連中なんて、どうせ特権意識丸出しの自分勝手な〈自称夢追い人〉ばかりだろう。気球に乗っている最中に催して、欲望の赴《おもむ》くままに用を足し、何も考えずに平気で大便を下に捨てる連中だ、多分。酷いやつらだ。警察や行政も連中には困ってる。誰が何度注意しても、すぐに地面に捨てるから迷惑だ。何せ外で歩き食いとかしてたら、カフェでお茶飲んでたら、そんな不愉快なものがボトボト落ちてくるんだぜ。安心してられない。これはやってられないし、汚い。そうだ、連中の一人を脅して気球を奪っちまえ……。こないだどこかの公園で見た奴を思い出した。少しの疑いもなく、あいつはおめでたいアホに決まってる。奴こそが幸福な〈自称夢追い人〉。あいつから気球を強奪しろ。まずは、綿密に襲撃計画を立てるべきだ。奴もそうそう簡単には気球を手放さないだろうし、無下に断る。やっぱり武器か何かで無理矢理殺さなきゃ駄目か。物騒なことを避ける手段はないのか……後味が悪いのは困る。まず、慎重に選んだ毛糸のマスクを入手する。見た目でピンとくるデザインのものは駄目だ。なるべく印象に残らないデザインのものを。早朝、奴が気球を飛ばす公園に行く。そして奴に会う。何も知らない奴に、まるで気球に興味津々《しんしん》な純真な人間になりすました態度で接近。あくまでも自然に。子供の頃から気球に憧《あこが》れてたとか、俺も昔ヴェルヌを読んだとかのしょうもないことを誰も聞いてもいないのに、勝手にベラベラ喋《しゃべ》って相手を油断させろ。楽しませろ。包丁の存在が奴にとって不吉な死の予告になってるから、まずはリラックス。刺しません、いや刺すかも、とか曖昧《あいまい》なこと言って決して怯《おび》えさせないことだ。それなら何もしない方がマシで、幾ら嫌いな奴だからといっても命乞《いのちご》いとかやはり見たくないし。相手の顔を蒼《あお》ざめさせない方が好ましいし、相手にも毅然《きぜん》とした態度を選択させてやればいい。しかし、この行動はちょっと無垢《むく》すぎるか……。で、もうすでにその時点で毛糸のマスクを被《かぶ》っていることを忘れるな。顔を絶対に見られないように。間抜けな素顔を誰にも見せない方がいい。それどころか、相手に俺がどんな顔をしているかを徹底的に想像させせろ。頭にスケッチブックを用意させた方がいい。奴の遊び心を刺激して軽薄なプチ悪党だとか思わせたりして軽蔑《けいべつ》させるな、と同時におとなしくさせた方がいい。身体を束縛しても、精神は解放させせろ。本当は刺すのは好きじゃない、思い切り力を入れてぶつのが好きさと誠実そうに告白するが、しかし、もしかすると、殺すぞ、と計算した言い回しで微妙に脅す。演劇的な脅しは駄目だ。やたら安易に大声出すとか、いきなり奇声を発するとかは相手が信じないし、第一にフザけていると思われる。その後にもう一度、顔を見られていないことを慎重にチェックしてからが勝負だ。問答無用に包丁を振り回して相手を倒せ。いままで勿体《もったい》ぶってた一撃で勝負に出る。念には念を入れて何度も、何度も。もう、ここではたまに滑稽《こっけい》な身振りを織りまぜてもいい。それで緊張をほぐせ、自分も相手も。予《あらかじ》め相手の刺す予定の部分を、様々な色のマジックでマーキングしてもいいかもね。身体にマジックで悪戯《いたずら》書きされて、相手も満更でない遊び心を刺激されて安心するから警戒しな

い。そこへ予期せぬ痛烈な鋭い一撃で勝負。相手が驚き、刺された痛みさえ感じない気配り効果が意外とあるかもしれない〞

そんなことを考えながら、茂は疲れ果てて眠くなり始めた。

＊

「あの寂《さび》れたテニス場を今年中に復活させようと思うのだが……」

白と灰色が混じり合った汚い髭《ひげ》が顔面にぼうぼうと生え、所々歯が欠けて頬骨が飛び出した男性が発言した。色が黒く日本人離れした彫りの深い表情から、はっきりとした威厳のある発音の日本語が発せられるとは意外だ。

そこは会議室とは名ばかりで、殺風景な倉庫の片隅に作られた、ベニヤ板の仕切りにガラス窓をはめ込んだだけの小部屋だった。それぞれのベランダに洗濯物が吊《つ》り下げられた公団住宅の向かいに建てられた、質素な造りの大きな倉庫。その四角い建物のまわりに塗られたペンキは、はげ落ちてから相当な時間が経過している。せっかく高価な費用を掛けて周囲の電柱に設置された数台の監視用赤外線ビデオカメラも、いまでは作動していないような印象を受ける。これでは廃屋にしか見えない。しかし、近日中には最新のバイオテレメトリー技術を使った超音波測量機が導入される予定があり、猫一匹この敷地内に侵入しただけで警報が鳴るシステムになるだろう。

他の出席者は全員黙ったままで特に何か意見があるわけではなかった。別段、反対する理由もない。髭面《ひげづら》の男はどこにでもいそうな酔っ払いのようだったが、そこではどうやら何らかの権限を持っている人物らしかった。

発言の後に、タバコの煙がもくもくと彼の口から出た。髭と煙が繋《つな》がっているように見えた。そして、まるで顔の半分が、魔法か何かで煙になって消えてしまいつつあるようにも見えた。それは長時間にわたる余りに退屈な会議のせいで、出席者たちの意識が少々朦朧《もうろう》としていたのが原因なのだろう。

「誰か反対意見はないのかね？　最近テニスなんてやる奴《やつ》はいないとか」

煙が口臭と混ざって独特の臭《にお》いを部屋中に蔓延《まんえん》させた。多少なりとも周囲の人々は皆この臭いを不快だと思っていたが、誰もそれを口にするものはいない。テニス場がどうとかよりも、まずあんたの薄汚い髭とひどい口臭を何とかしたほうがいい。

全員の混濁した思考から生み出されるはっきりとした意見と云《い》えば、これぐらいしかなかった。

空中に浮かぶ男の顔が周りの人々の表情を、ぎょろぎょろと器用に動く目で窺《うかが》う。彼にしてみればいい加減にこの沈黙には飽きたが、しつこく意見をねだったところで何か気の利《き》いた答弁をしそうな者などいないだろう。だから男はテーブルの中央に置かれた花瓶に活《い》けてある黄色と赤のチューリップと薄いベニヤでできた壁を交互に何度も見つめて、ただひたすら思考停止するしかなかった。

時折、団地の子供たちがはしゃぐ声がかすかに聞こえる。

やがて、思考停止にも飽きた。既にそれ以前にチューリップと壁に視線を注いで、眼球を行ったり来たりさせることの方が先に飽きていた。

出席者の一人が何の前触れもなく突然に椅子《いす》の背によりかかって背伸びをしたあと、感じのいい所作で大胆なあくびをした。何とも優雅で満足げなあくび。余程リラックスしたらしく、今度は白いYシャツの上のボタンを数個外して自分の胸毛をその不釣り合いな女性的で繊細な手で、さりげなく触り始めた。彼は特に容貌《ようぼう》が秀《ひい》でているわけではないことをちゃんと自覚している自分自身を欺《あざむ》いて、わざわざ無理してセックス・アピールを強調しようとしているのではないようだった。少なくとも誰の視線も意識していないのは確かだ。髭面の男が新たな煙草《たばこ》に火を付け、〝大いに結構〟とでも言いたげな余裕ある表情で、もさもさと揺れる胸毛を見つめるが、そこには別にホモセクシュアルな雰囲気はない。

そして何かを思い出し、微笑《ほほえ》む。ちょうどそのとき電話が鳴った。

「畜生、珍しく電話だ」

手を伸ばせば受話器を簡単に取ることのできる位置なのに、髭面の男はちらりと電話の方へ嫌な顔を向けただけで何もしない。耳元で電話が鳴っているようなものだから、うるさくて堪《たま》らない。

周囲から忘れ去られたこの倉庫の中にいると、外界との接点である電話機の存在自体を忘れてしまう。大概のことは電話を使わずに、ここでじっとしているだけで済んでしまうからだ。

もし髭面の男が、目を閉じてこの会議室のようすを説明してみろと何者かに銃で脅されて命じられることがあったとしても、彼は家具や出席者の顔までも一つ残らず詳しく模写してみせるに違いないが、電話機の位置についてだけは言い当てられなかっただろう。そのくらい、ここには滅多に電話は掛かってこなかった。

髭面の男が困ったような顔で、電話と揺れる胸毛を交互に眺める。胸毛の男はようやく視線を感じて、恥ずかしそうに急いでシャツを直した。滑稽《こっけい》な状況だが、その場にいた他の出席者たちにとっては大しておかしなことではなかったらしく、その様子を無言で眺めはしていてもまるで興味なさげだ。だからといって二人を軽蔑《けいべつ》しているようでもない。本当は誰もその状況そのものに気がついていないのかもしれない。

髭面の男は久しぶりに掛かってきた電話に対していつの間にか、好奇心から受話器を取りたくなっていたが、結局、電話は鳴り止《や》むまで放って置かれた。

ふたたび沈黙が戻ってくると、ほぼ同時に出席者の何人かが背後の壁に注目した。そこには本場ニューヨークから取り寄せられた『王様と私』と『ミス・サイゴン』のポスターが貼《は》られている。そして、全体をひととおり眺めたのちにそこに日本での公演の詳細についての日本語の記述がまるでないのに気がついた。彼らは特に不満は感じずに、これはあくまでも海外向けのポスターなのだから仕方がないと思った。

いつの間にか胸毛の男は席を立っていた。そして彼はTVのセットのような会議室を出て、いかにも倉庫らしい灰色の空間に不自然に取り付けられたドアを開いて廊下に出た。

そのつきあたりには青いタイル張りの浴室があった。

蛇口を開くと氷のように冷たい水が激しい勢いで吹き出す。その流れの下に、胸毛の男は頭を突っ込んだ。冷水の刺激に思わず大きな呻《うめ》き声を漏らしてしまった。

当然、その声は会議室にまで聞こえていた。髭面の男の顔は再び〝大いに結構〟とでも言いたげな表情になった。

胸毛の男の方も会議室の人を小馬鹿《こばか》にしたような不愉快な状況が手に取るように分かったので、すぐに会議室に戻る気がしなかった。だから刺すような水の奔流をこわばった手首の筋肉の上でずっと遊ばせたり、深呼吸を無駄に何度もしたりした。

そこに立派なシャワーの設備もあったが、どこからともなく無神経な連中がどかどかとやってきて覗《のぞ》かれでもしたら嫌なので使用しなかった。できることなら、ぜひとも全身でこの心地よい冷水を受け止めたかったが……。

突然の衝動が、彼を凶暴な野獣に変身させた。自覚のないままに鏡を拳《こぶし》で粉々に叩《たた》き割っていたのだ。いままで人など殴ったことのない、草食動物のような人柄で学生時代から周囲に好かれていたのに……。血だらけの拳と、割れた鏡に映る幾つもの自分の姿を交互に見つめる。何かが彼のなかで変化したのではない。いままで自分の中に隠れていた、別の自分が出現したのだ。

浴室から鏡の割れる衝撃音が会議室にも聞こえたと同時に、ついに沈黙を破って出席者の一人がやや堅苦しい口調で発言した。彼は縁のない眼鏡をかけた非常に身だしなみのよい男性だった。

「私もテニス場再建に反対ではないですが、その前に例の事件の当事者を連れてきて、マスコミの前で釈明させるべきでしょうね」

「それは以前、自殺未遂を起こした高校生のことか？」

間を置かずに髭面の男が尋ねた。

「そうです。しかし、その高校生のことは残念ながらあまり資料が揃《そろ》ってないんです」

＊

まだ木造の家が立ち並び、ところどころに田園が見える住宅地に一台の黒い車が猛スピードでやって来た。本来、ここを満たすべきのどかな沈黙がモーター音にかき消されてしまった。

よく晴れた天候の庭先で、二人の男は白髪の老人を無理矢理取り押えた。乱暴者は他にもう一人いたが、どうやらその男が首謀者らしく、笑って突っ立ってるだけで今は何もしない。

「いかん！　その盆栽《ぼんさい》は大切なものなんじゃ！」

黙って微笑《ほほえ》んでいただけの首謀者がようやく背広のポケットからベレッタM84を取り出し、老人に向かって怒鳴る。

「老いぼれ、目をつぶらずに黙って見ておれ！」

銃口を向けた先にはいくつかの盆栽が、雛壇《ひなだん》の上に丁寧に置かれている。

「よし、やるぞ！」

気合を入れ、額に皺《しわ》を寄せてから引き金を引く。当然、勢いよく弾が飛び出す。そしてバキューン、バキューン、と何発もの銃声の後に次々と盆栽が景気よく破壊された。

自由を奪われた老人が、出来る限りの抵抗を必死に試みるが若い二人の乱暴者は笑っているだけでまるで彼を解放する気がない。

「やめろ！　おい、やめるんだ！　それは本当に貴重な」

「うるせえ！　よく見ろ」

用意された弾が全部発砲されたころには全国の品評会で絶賛された自慢の盆栽たちは見事に粉々になり、ただの土塊と成り下がってしまった。同時に老人の身体は自由になった。

「最近はなかなかおおっぴらに練習できないからな」

弾は外れることなく盆栽に命中した。一発も無駄にしなかった。盆栽の置かれた雛壇の後ろの老人の家の窓ガラスは一枚も割らずに済んだ。

満足げな笑みを浮かべる首謀者の背後で、老人は解放されたにもかかわらず同じ位置でひざまずいて頭を抱え込んだ。

「なんてことをするんだ！　わしの盆栽が……」

しばらく、三人はただ黙ってニヤついていただけだったが急に首謀者の表情が冷酷なものに変化した。そして部下二人に、目で〝制裁を加えよ〟という合図を送る。この意思の疎通《そつう》ぶりを見ると、彼らがいかに罪のない多くの人々を残酷な手段で殺してきたかが判《わか》る。

再び乱暴者の一人が老人をはがい締めにする。守るべき盆栽が破壊し尽くされたいまとなっては、去勢されたかのようにただ放心状態になるしかなかった。そこへもう一人がナイフを取り出して、老人をメッタ刺しにした。盆栽がただの土塊になった瞬間から既に精神的には死人になった筈《はず》だったが、皮肉なことに断末魔の叫びだけは老人とは思えない力強さがみなぎっていた。別人の声を後にスタジオでアフレコしたような不自然な響きだった。

上空からの画《え》がモニターに映し出された。わざとらしく静止した三人に取り囲まれた老人の死体。まるで老人の魂が昇天して行くかのような、ヘリコプターからのロングショットだ。いかにもドラマのエンディングに相応《ふさわ》しいカット。

何もかもが終わって次第に以前と同じ沈黙が帰ってきたころ、その場にいた三人以外の「まったく、あいつら本当にひどい連中だな」という声がどこからともなく微《かす》かに聞こえてきた。

祐子の部屋から空き地で収録しているTVドラマの撮影現場の様子が見えた。空撮用のヘリの音で気がついた。下の部屋にいるはずの父親にそのことを伝えようと急いで階段を降りたが、居間には誰もいなかった。テレビがつけっぱなしだ。母がこの家を出て以来、誰も省エネルギーに気を使う者はいなくなってしまったのだ。

「あれ、いないんだ……。お父さんの好きな番組の撮影、せっかく近所でやってたのにな……」

開けっ放しの居間の窓からも撮影現場はよく見えた。すると驚くべきことに、忙しそうにしているTVスタッフの背後に父親の姿を発見した。祐子よりも先に気づいてこっそり見学しに行っていたのだ。だからさっきどこからか「ひどい連中だ」とかいう怒鳴り声が聞こえたのだろう。いつものように家でTVドラマを見ているときにそんなふうに感情的になるのなら許せるが、外で、しかもTV撮影している所でなんて……。祐子は子として恥ずかしいと思った。しかし、父は元々ただの酔っぱらいにしか見えない汚らしい髭面《ひげづら》からして既に恥ずかしい存在であったので、もはやそんなことはどうでもいいことに思えてきた。どんな姿格好をしていようが、父はたった一人しかいないのだから。仕方がないんだ、と自分にいい聞かすしかない。安易に憎んだりして家を追い出されるよりも、迷わずにそちらを選んだ。

「あのシーンは何だよ……まったく。こんな悲惨な死に方だけは何とか避けるようにできなかったのかよ？」

ＴＶのスタッフ二人に助けられて起き上がった血まみれの盆栽老人に、祐子の父である髭面の男が背後から近づいて話しかける。旧知の仲らしく、何の違和感もなく互いに向き合って会話を始めた。

「いや、だめだったよ。監督やプロデューサーに頼んだけど、全然……。やっぱりこういう派手でショッキングなシーンが必要なんだよ、いまのドラマには」

何やら言い訳をしてきたが、相手の言うこととの細部がいまひとつ頭に入ってこない。彼の老人らしい地味な衣装に付着した赤い血糊《ちのり》の染みが余りにも鮮烈にきらきらと光っているから、そちらに気を取られてしまっているのか、次に言うべきことが思い付かない。ある意味でその染みはヨーロッパの貴族が身に付ける優雅なサファイアのブローチのようにも見えた。だからこそ、老人には誇りのようなものを持って欲しかった。

「脚本家を激しく怒鳴りつけてやればよかったんだ。もっと先人を敬《うやま》え、って。こんな死に方じゃ誰も納得しないって」

「それでもだめだった」

「ちゃんと激しく言ったのか？」

「ああ、激しく言ったさ。でも、だめだった」

そう言うと老人は、悔しそうに眉間《みけん》に皺《しわ》を寄せた。

「そうか、だめだったか……。いやいや、あんたみたいな老いぼれは、現実ではいつ死んじまってもおかしくないんだから、せめてテレビのドラマの世界ぐらいではのびのびと呑気《のんき》に生きさせて貰《もら》いたいのにな。見てるこっちが湿っぽい気分になっちまうよ」

父は弱気な老人の態度にうんざりしたらしく、やけになって少々厭味《いやみ》たらしく言った。

「ああ、死にぞこないの爺《じじ》いで悪かったな。お前の権限で脚本を変更させて貰いたかったのに、さっきその件で相談したくて電話したら出なかったじゃないか」

会議中にかかってきた電話はこいつからだったのか、と意外な事実に父は驚いたがそれを口には出さなかった。しばらくは何も考えていないような無表情を通した。

そのとき、近くで彼らの会話を黙って聞いていた監督が駆けつけてきた。そいつはどこかお気に入りの大リーグのキャップとスタジアムジャンパーを身につけており、TVのディレクターというよりも野球チームの監督の方が似合っていた。

「おい、あんたか？　この爺《じい》さんに余計なアドバイスしたのは」

「ああ、俺だよ。脇《わき》で見てて、これじゃあんまりだと思ってね。こいつだってこの先長くないんだから、もっといい役やらせてやれよ」

「困るんだよ。これは実際に起きた事件をもとにしてるんだから。変えられないんだよね、真実の物語だからさ。何週間もまえに撮影用のヘリをチャーターしてあったしね。しかも、このシーンが俺の一番やりたかったところなんだ」

「ほらね、どうしたってだめなものはだめなんだからさ」

老人はもうこれ以上この件には係わりたくないという態度だった。

「うるさい！　そんなに死ぬ役が好きなら、本当に死んじまいな」

祐子は父のことだから、またひと悶着《もんちゃく》起こすに違いないと心配した。

「お父さん！　もうやめてよ。こんなお年寄りに向かって、何てひどいことを」

「そうだよ、あんたこれじゃこのドラマに出てくる老人を敬わない悪人と同じだよ」

監督はそう言い放つと、そそくさと場を離れた。彼には他にやることが沢山あるし、気立てのよい娘の登場がこのトラブルを解決してくれるだろうと思ったからだ。

「俺だって何も殺される役ばっかりじゃないんだ。今日、このあと入ってる別のドラマの撮影現場を見学しに来るかい？　もしよかったら、あんたたち親子を招待するよ」

老人は誇らしげに言った。

急に脚本が変更となり、次の撮影現場でも老人は無残に殺される役だった。けたたましい自動火器の銃声の響き。クリーム色の塗料が少々剝落《はくらく》したクライスラーが、荒地の上をゆっくりと移動する。やがて、痙攣《けいれん》しながら通りかかった老人の口から吐き出された血反吐《ちへど》でそのボンネットが汚された。

もう死んでいる筈の老人の腹を、兵隊の衣装を着た大柄の俳優がクライスラーから降りて何度も蹴《け》る。

大量の赤い液体を吐き出す瞬間に〝グエッ〟と妙な声を発してからタイヤの前に転がり、間抜けな死顔をして静止した。よりだらしなくなった、服装の乱れ。

そのとき老人は、父と目が合った。緊張した視線が注がれる。

「さて、もう帰るか」

同情でも反感でもない冷たいつぶやき。祐子は父と共に、ただ黙ってその場を去った。

「俺はちょっと寄るところがあるから……」

撮影現場から帰ってくる際に娘は家に帰して、父親は一人タクシーで例のテニス場跡へ向かったのだ。

いまや幼児の背丈よりも成長した雑草の中に木造建築のクラブハウスは埋もれて

いた。

人間の意思とは無関係に生い茂った雑草は、永い間誰も手入れをしなかった証拠だった。そのクラブハウスと隣接しているテニスコートにも、同じ種類の雑草が乱雑極まりなく生えていた。

もう電気を止められたかのように見える薄暗いクラブハウスの二階で、象形文字のような模様が背中にプリントされた青いジャージに着がえた髭面の男が横になり、耳にはヘッドホンを付けて黙々と何かを画策している。時折、思い出したかのように手元にいくつも重ねられた空の植木鉢を両手で叩《たた》き壊したり、空に放り投げたりして壊しながら……。これは別の日にも何度か既に同じ場所で繰り返された行動だった。

彼はすぐに何かをやる気になれなかったのである。とにかく疲れたから、ただダラダラとしたかった。

「立ち上がらなくてもいい範囲でなら、何かやってもいいかな」

脇腹近くの地面に落ちている子鼠《こねずみ》たちの死骸《しがい》を見つけ、なにげなく両手の指一本一本に紐《ひも》で括《くく》り付け、まるで彼らが生きているかのように、指一本一本を器用に動かしてみる。

一見したところ、まだ買ったばかりの新品のジャージが着慣れていない感じがして、床に寝ころんではいるものの大してリラックスしているようには思えない。だいたい誰が見ても明らかな憎しみの情念に満ちた男の目つきからして、そのスポーティな格好は全く似合っていなかった。

彼の熱い視線は常に単三電池二本で動く小型の白黒TVのモニターに映った人々全員に対して向けられていた。それだけが間接照明になっている。団地の住人たちを監視するかのような絶妙な位置に取り付けられた数台の赤外線ビデオカメラから届けられる、新鮮な街角の風景。ちゃんとそこの状況音や会話までもが高性能ステレオマイクによって届けられる。ゴミ箱を漁《あさ》る野良《のら》犬。団地前での若い男女の言い争い。のびのびと公園で遊ぶ子供たち。路上で立ち話に興じる主婦。ただ走り去るだけの車。三分置きにアングルが自動的に変るので、飽きることなくずっと眺めていられるのは何とも快適だ。難しい操作がいらないのは本当にありがたい。

〃ぐちゅ、ぐちゅ、んご、ちゅっぽ、んぐ〃

次の瞬間、スーパーの前で農家の畑から盗んだ果物や野菜を手頃な値段で直売するオーバー・オール姿の子供たちが、口に溜《た》めた唾《つば》を使ってやたらと耳障《みみざわ》りな音を出して主婦たちの気を引いているのがモニターに映った。その嫌らしい音の、あたかも彼の目の前に子供たちがいるかのような存在感に圧倒されっぱなし。どの子供たちも一様にいじらしく思えて、涙ぐむ寸前までいった。

映像は白黒であるにもかかわらず迫力ある音響のおかげで、まるでその場にいるような臨場感。

「あらゆる場所に設置されたカメラで、どこかに潜んでいる元『自殺未遂を起こした高校生』の行方を捜せ。この街にはいなくとも、まだ近くには住んでいるはずだ」

髭面の男はそんな陳腐な日常風景を見ながら思考された全《すべ》てを、一切口に出して言わなかった替わりに何もかもを偽りなく正確に駅前の文房具店で購入したノートに書き込む。

しかし、どんなに正直に思ったことを書き綴《つづ》っていても彼にしか解読することのできぬ特殊な文字を使っていたので、もしノートが他の人間の手に渡ることがあったとしても安心だった。

〝いつでも自分だけのオリジナルの言語で考えるよう心掛ける。その言語をフルに活用して、ときには心にじんわりと染み入るような気の利《き》いた洒落《しやれ》たことなどを交えて、自分自身にだけ語りかけるのだ。他は何をしようが、所詮《しよせん》全部無駄だ。いまさら甘い言葉で異性でも誘惑しようというのか……もう、そんな年齢では……〟

右のような内容を、普通の言語でうっかりノートに記してしまうところだった。

彼の額に冷や汗が流れた。

髭面の男はやがて薄暗いクラブハウスの中で燻《くすぶ》っているのにも飽き、履《は》き潰《つぶ》す寸前の汚れたスニーカーを適当に足につっ掛けて庭園に出た。いつ転んで怪我《けが》をしてもおかしくはない。

そこには雑草しか生えていなかった。雑草は決して笑わない。感情もない。言語を持っていない。心ない人間に冷酷に摘まれても、何ら不平不満はない。痛みなんて感じてはいないに決まっている。だから心おきなく足で踏みつけてもよい。

花は黙って人間に季節の到来を教えてくれるだけで、特に何かメッセージを持っているわけではないといわれている。しかし、花は人間と同じような心を持っているし、大抵いつも理由もなく人間みたいに笑っているらしい。研究者によれば、彼らはクラッシック音楽を好むという。パンジー、チューリップ、デイジー、スイートピー。色とりどりの花たちは人間を無言で監視しているから、安易に身近なところに置くわけにはいかないのだ。彼らがどんなことを考えているのか知る由《よし》もないからだ。笑っている振りをしているだけかもしれない。笑っているように見せかけて、我々を油断させようとしているのかもしれない。こそこそと皮肉や厭味を言っているのかもしれない。場合によってはショパンなどのメロディらしきものを発することもあるだろう。

それに彼は先日まで妻だった雅子の趣味の園芸に付き合わされていたのでよく知っているが、ちゃんと花を育てるのは本当に大変な手間がかかるのだ。

晴れた日は外に出して、十二分に日光に当てる。しかし、もし台風が来たら今度は植木鉢を全部家の中に、必死になって運ばなければならない。細心の注意をはらって。万が一にも鉢を落として壊してしまうことがあったとすれば……少なくともその日の晩飯は食べさせて貰えない。勿論《もちろん》、翌日には朝飯が出るが、前日の恥辱に満ちた苦い記憶のせいでろくに喉《のど》を通らないのだった。美しい花たちは、別段彼の味方をするわけでもない。

それらは夫の仕事で、妻は絶対に手を貸そうとしなかった。

そのくせ彼女は、真面目《まじめ》に育てればどんな花でも見事に咲かすことができると周囲に豪語していた。難しいといわれる花ほど張り合いがある、しかも薬や肥料もつかわない、と自信満々な笑みを浮かべてばかりいた。いつも微笑《ほほえ》んでいるばかりで、全部彼にやらせて結局本当は何もしていない女性だ、という印象すらあった。

園芸雑誌が毎号いささかヒステリーぎみに書き立てる〝蘭《らん》を素人《しろうと》が育てるのは不可能ってホントなの？〟という見出しに対して、彼女は常に懐疑的でいた。夫との、いわゆる夫婦の会話の中で特に言及されたことはないが、日当たりのよい縁側で彼女が薄ら笑いを浮かべて懸命に読んでいる園芸雑誌のページには、いつも蘭作りに失敗した素人園芸家たちの愚かな話が多少大袈裟《おおげさ》に、かつ面白おかしく脚色されて掲載されているのだった。

「この人は愚かね。救い難い。蘭を作る資格なんてないわ。こういう人は色紙とか使った造花でも黙って作ってりゃいいのよ本当に」

いつも同じことを呟《つぶや》きながら、該当する読者欄に赤いペンで印を付ける。

彼女には、刊行されている大半の園芸雑誌に編集者の知り合いが必ず一人はいたので、蘭作りの失敗談を投稿した読者の住所電話番号は全部把握していた。内心、彼らのことを小馬鹿《こばか》にしながらも恐らく何かのアドバイスをしようとしていたのではないだろうか？　しかし、彼が知る限り、妻がそのようなお節介な電話をしたのは一度しかなかった。

「これは見事な咲きっぷりですね。奥さんは自己紹介どおりの凄《すご》い方だ。百年に一度の女流天才園芸家の誕生だ」

思い出してみれば、彼はある日の午前中にたった一度だけ、立派な背広に身を包んだ見知らぬ小林という男が訪ねてきて、家の玄関に幻想的なローランサンの絵と共に飾られた大きな蘭の花に、声を上げるほど感心しているのを目撃したことがあった。

「ああっ！　実はわたし、不思議なことにこれとそっくりの大きさまで同じ蘭を、昨晩夢で見たのですよ。細かいことを申せば、少々違いがあるのかもしれませんがね……。でも、その蘭もお宅のに負けないほど綺麗《きれい》でしたよ！」

「そうですか」

まるで気持ちの籠《こも》っていない返答に気づいた中年の紳士は、何か気分を害することをしてしまったかと考え、慌《あわ》てて妻を気遣い始めた。

「奥様から最初に電話をいただいたときは、まさかこんなに素晴らしい蘭を作っていらっしゃる方だとは想像もしておりませんでしたので、少々警戒して無礼な対応をしてしまって本当にすいませんでした……。いえ、わたしの職場に引き続きついに趣味の園芸の世界にも女性どもが図々《ずうずう》しく進出か、と少々腹立たしい気持ちがあったのも確かですが……ところでわたしにも出来ますかね？」

小林が釘《くぎ》付《づ》けになって観賞していた蘭から目を離し、妻に向かって訊《たず》ねた。

「えっ、何がです？」

意図したのかどうかわからない、安っぽい演技のような、的を射ていない間抜けな返答だった。

「蘭ですよ。一生に一度でいいから、こういう綺麗な蘭を作ってみたいんですよ。いやいや安心してください、私が夢で見たのと同じのを作ります。貴女《あなた》の真似《まね》でなく、あくまでもオリジナルにこだわります。見ていて下さい。季節がやってきて、素晴らしいのが咲き乱れたときに必ず真先に、貴女に電報で報告します。〝ラン、サク〟と……。さぁて、俺も一丁頑張るか！」

いままでしり込みしているようにも見えた紳士が、上品過ぎる振る舞いを突然かなぐり捨てて自分の力を信じることによって、エネルギーをたっぷりと注いだような充実感を溢《あふ》れさせ始めた。

「でもあの雑誌に載った、あなたのやり方じゃだめですよ、ははは」

妻が手厳しい意見を言う。

「いまはもう違いますよ。あの後、外国から専門書を取り寄せて勉強したのです。ストレスから胃潰瘍《いかいよう》を患《わずら》ったりしていた最中に頑張りました……いまのわたしなら何でも死ぬ気でやれば、何事も意外とスンナリやりとげられる気がするのです。例えばチンパンジーの世話を誰かに強要されたとしますよね。それを自由自在に手なずける為《ため》にチンパンジーとコミュニケートするための方法をあっさりと習得してしまうとかね……やろうと思えば、不思議とできそうです。本当に自分を信じてます。それでも貴女はわたしがどんなに頑張っても駄目だというのですか？」

「ええ、あなたが全身全霊死ぬ気でやって他のことはＯＫでも、蘭に関してはあれじゃだめですよ」

「いや、でもいくら私が間違っていようとも、人様が考えた方法じゃ絶対に嫌なんです。わたしもまだまだ決して長いものには巻かれないぞという信念に燃える男ですので、周りの連中から、いや現実にも近所の住民から、時代遅れの頑固者と口汚く罵《ののし》られ、窓ガラスに投石されてペットが傷つき家族に危険が生じようとも、やはり基本的には自分の思った通りにやるしかないのです。しかし、今度ばかりは蘭作りのプロである貴女の意見も多少は取り入れて再度トライしてみてもまぁいいかな、と思うようになったのです。胃潰瘍で入院した際の妻の献身的な看病がわたしを変えたのですよ……。そうだ！　そういった意味では妻に感謝せねば……。どうです。空いた時間で結構ですから、是非とも協力しては貰《もら》えないでしょうか？」

「女性の社会進出が大いに叫ばれる中、殿方たちの〝女に負けていられない〟という気持ちはよく分かります。逆にいまでは女性の方が強くなり、男性を守ったりするケースも多いようですから……。それにしても貴方のような古いタイプの強い男性が戦争なんかで死なずに、もっともっと沢山我が国にいればよいのに……。わたしの方がよっぽど無念ですよ……。そういえば、実はわたくし、近日中に蘭作りの本を大手出版社から上梓《じょうし》する予定でしてね……。よろしければそちらを参考になさるのはいかがです？」

中年の紳士は眉間《みけん》に皺《しわ》を寄せて、穏やかだった声を急に荒らげた。

「何です、多少プロの心得を持つわたしにいきなり素人向けの蘭作りの本なんかを読めと仰《おっしゃ》るのですか⁉　そんな代物《しろもの》じゃ、納得いきませんよ。物足りないですよ。だいたい貴女だってまさか考案した全てのノウハウを、たった一冊の本に詰め込んで書いてしまおうとはお考えになってはいないでしょう！　大好評間違いなしを約束されたようなものなのに……ええ、勿体《もったい》ぶるべきです……余計な、いらない記述ばかりを満載して水増ししてでも、是非ともそうするべきです。でも食欲もなくなり夜も眠れなくなり、何をするにも動作がぎこちなくなって歩行もままならぬくらい良心が痛むかもしれません。半ば歩く屍《しかばね》状態。しかも、そういうことで悩んでるときはよく他人と会話をする際にうまく頭が働かず、〝わたしは何を言おうとしていたのかしら〟とパニック状態になって顔面が真っ赤になってしまうような一幕も予想されますよね……。精神的に苦しいかもしれませんが、頑張るべきです。……それにしても後で世間が熱狂的に第二弾、第三弾と本の続きを要求してきたときにどうするつもりなのですか？　何も考えちゃいないんだ、貴女は所詮、出版ビジネスのことなど何も分かってない！　いやぁ、これは絶望的ですな。貴女が次の本のことを何もお考えになっていなくとも、出版社の方から恐らく要望があるでしょうが……もし、貴女がたった一冊の本で全てを書ききってしまい、これで満足ですわ、もう新しい本なんか書けない、焼き直しのまるで同じ内容の本なんか書きたくありませんわ、とでも仰るのなら出版社の方でも代わりの書き手をいくらでも連れて来て（そういう本を書きたくて、書きたくて涎《よだれ》を垂らしている連中なんてごまんと存在しますすよ）また同じような本を出すでしょうね……それにしても貴女は狂信的な読者の方々に向け、もう書けません、ネタがありません、かんべんしてください、などと易々《やすやす》と頭を下げるつもりなのですか……実に勿体ない。ま、取り敢えずそのときにどうするかはお独りで、または出版社の担当の方とよく相談して一緒に考えて頂くにしても、どうかひとつ、わたしだけにはまだ本には書いてない蘭作りの秘密のノウハウとやらを教えてくださいませんかね。まずは本の原稿か、またはゲラが手元にあれば見せていただきたい。研究ノートでもメモのはしり書きでも結構ですよ。大歓迎です。貴女の字が多少読み難くても我慢します」

「それはお断りですわ」

ただ日当たりがよかっただけではない。園芸に適していた環境の秘密はテニス場から持ち運んだ土塊の質にあった。髭面《ひげづら》の男は、我が家から去ってゆく中年の紳士を懸命に追いかけ、駅の近くの喫茶店でその秘密を教えた。小林は園芸に関して決して無学ではなかったので、直《す》ぐに理解した。

その日の深夜、小林はこっそりテニス場に侵入し、土塊を盗んだ。ついでに全ての植物を枯らしてしまう特殊な薬品を撒《ま》いた。そして、その足で髭面の男の裏庭で咲いてた花を、大きな鋏《はさみ》でいっぺんに全部切り落として帰った。

雅子が次の蕾《つぼみ》を育てるために満開の花を無表情で事務的に切り落とす際、いつも聞こえるか聞こえないかの小さな音量で叫びのような声が何となく聞こえた。

その声が一度にいくつもの叫びと重なって辺りに響いたのだ。

結局、雅子の本はそのあまりの独善的な内容に難色を示した編集者の判断により出版されなかった。失意のあまりに廃人同然となってしまった雅子は、家族の誰にも行き先を告げずに家を出た。

それ以来、自宅の荒れ果てた庭で土いじりしても、何の花も咲かない。あれは妻に命令されて嫌々やっていたことに過ぎないのだから、いまさらどうとも感じないが……。しかし、ひとりの時間に妻の書いた原稿を引っ張りだして眺めたり、出ていく際に忘れて行ったネックレスやブローチを自分の胸に付けたりして、空想にふけることは何とも楽しかった。

それは決して上手《うま》くいかなかった現実の妻との生活とは、まったく別の世界だった。虚《むな》しくもあるが、不思議な安らぎが全身を満した。

そもそもいま彼はこのテニス場の土いじりをしようと思ってクラブハウスの庭園

で横になっているのではない。ボロボロのスニーカーの紐《ひも》をもう片方の足で踏んでしまい、あれよあれよという間に地面に倒れてしまったのだ。

顔面をぶつけたのは痛かったが、それがやんでも起き上がる気にはなれなかった。とにかく面倒臭かった。暫《しばら》くはただ土塊を顔面の間近に見つめていたのだった。

そして、いつしか雑草の根が互いに何かを語り合う声が、地底から聞こえたのである。

急いで彼は音声を増幅させる補聴器のような小さな機械をポケットから出し、スイッチを入れて赤いランプが光るのを確認してから土に埋め込んだ。

それは末期の重病人が発する不快なかすれ声に似ていた。喉が干上《ひあ》がったような声。唇が渇き、声が出ない感じ。驚いたときに発せられる〝うわっ〟と、咳《せき》をしたときの〝ぐほっ〟の中間のような不明瞭《ふめいりよう》な声も混じって聞こえた。その無秩序な音たちが、やがてショパンのポロネーズに聞こえなくもない……。

以前、役所から派遣されたらしき人物が二人、ここの地質調査をしに毎日訪ねてきたことがあった。測量器具や大量の書類を車種不明のバンでわざわざ持ち込み、役人らしい冷酷な様子でまず最初にコーヒーをすってから仕事を始める。それから二人のうちの一方の比較的小柄な男が土塊に電極を刺し、モニターのような画面を睨《にら》み付けて陰気な声でそこに浮かび上がったデータを口述する。地味なスーツを身につけた女が、黙ってそれを書類に書き留め、一定の書類の山が出来たらまとめて大きめの鞄《かばん》にしまい込む。二、三時間続けたら、またコーヒーをすすりながら二人で分担して先程の書類に目を通す。その単調な繰り返しが長期にわたって毎日続くかと思われたが、ある日彼らはパッタリと来なくなってしまった。しかも、どうやら調査中に全《すべ》てを放り出したままどこかへ行ってしまったらしく、鍵《かぎ》の掛かっていないバンを放置し、飲みかけのコーヒーもそのままだった。地道に作成した書類も野外に出しっぱなしで、やがて強い風がそれらを散らし、雨が書き込まれた文字を洗い流した。地底から聞こえる声やメロディを、当初聞こえぬ振りをしていたのがとうとう我慢出来なくなってしまったのだろうか？　それとも、最初は不明瞭だった声がだんだんとハッキリと聞こえ始め、ついにはその内容まで聞き取ってしまったのだろうか？　ここで聞こえる声は、実は単なる幻聴に過ぎないのに……。

しかし、それは彼にとってさほど不快なものではなかったのである。寧《むし》ろ、リラックスした気分さえ提供してくれたのである。地底から聞こえる自信ありげに詩を読み上げるような声が、彼の発明した言語と非常によく似ていたせいもある。

そこへ小林が注意深く聞けば分る勇壮なメロディに合わせてやって来た。地面に横になった彼の顔を覗《のぞ》き込んだ。

「よお、元気か？　蹴飛《けと》ばし甲斐《がい》のあるのが、地面に落ちてるぜ」

痛みは他人事。例外的に幾人かのお人好《ひとよ》し連中は同情するかもしれないが……。

こうして無目的な暴力に日常で慣れ親しんでしまったおかげで、いまでは感受性も鈍くなり被害者に対する同情もない。途轍《とてつ》もない速度で移動し、車輪が鋭利なカッターになって、あらゆる意味を削《そ》ぎ落す社会的弱者用のベルト・コンベアーの上から見た風景は、最早《もはや》何もかもが抽象的だ。残念ながら抽象の度合に順位は付けられないので、状況を巧《うま》く説明できないが、これはどう考えてもすでに手遅れで、我々は生まれながらにして強制的に乗せられている。もう運賃は勝手に税金から支払われている。ここから逃げ出す方法についての思考をもう二度と集中させることはないだろうし、その必要性もない。この先、ますます自分の意思とは無関係に、意識はとめどもなく朦朧《もうろう》となるだろうし……。やがてベルト・コンベアーがろくにお知らせもなく、いまは有料ジェット・コースターに変更されていることにも気がつかない。追加運賃はもう税金から支払われている。少しはこの状況を楽しむことは可能だろうか、と考えてみる価値はあるのか。そこで試しに最近起こった重要なできごとを、出来る限り沢山思い起こしてみようとする。

しかし、激しい疲労のために、何かを思い出すより先に眠ってしまう。不安が眠りの邪魔を始める。周囲に広がる広大な世界がやがて中途半端《ちゅうとはんぱ》な薄暗さの闇《やみ》に飲み込まれて、我々には孤立しかない。

＊

夜遅くになっても大勢の疲れ切った人々を乗せた電車が大きな音を立てて、鉄橋の上を通過する。

窓に寄りかかった乗客たちの眼下で、黙々と極秘の殺人リハーサルは続いていた。小雨が降る中で絞殺《こうさつ》、刺殺、撲殺、焼殺などのありとあらゆる種類の殺人の方法が、スプリングの飛び出した茶色の革製のソファの上に置かれた黒いマネキン一体を相手に、徹也を含めた屈強な六人のジャージ姿の男たちによって試された。各自、古代宗教の儀式を思い出させる自己流の陰気な準備運動を十分にしたあとで。

陸橋の上では市川駅へ向かう電車が盛んに走り、近くの閉鎖されて何年も経《た》っているテニスコートの先には無秩序に立ち並ぶ何軒かの家の明かりが見える。旧テニス場の周辺に位置するその場所は、徹也が以前から忌《い》み嫌っていた場所だった。こうして侵入してみると、意外な居心地の良さを理由もなく感じる瞬間がたまにあったので驚いた。それは彼らが、既に立派な死神候補生としての資格を有している頼もしい証拠と云《い》えるのではないか。

やたらと地面に錆《さ》びた缶詰の空缶や不潔な鍋《なべ》や食器や鳩《はと》の死骸《しがい》やクシャクシャに丸められた女性物の花柄下着や割られたクラッシックのレコード数枚などが打ち捨てられていて、陸橋を支える柱に貫通した管から垂れ流された泥の塊のようなものが、ぼとぼととその上に落ちている。あらゆるディベロッパー業者たちから忌み嫌われた場所。

勿論《もちろん》、さまざまな名前の書かれたラケットやボールもたまに見ることができたが、その中には意図的に破かれた書類やノートのような紙片がぱらぱらと混じっており、これはもう汚れてしまっているせいもあって二度と読むことはできない。それらを拾ってわざわざ判読しようとする物好きもいない。どうせズタズタに引き裂かれた請求書や駐車違反の呼び出し状の類《たぐい》だろう。

呪《のろ》われたテニス場に相応《ふさわ》しくないほど、ここは夜でも間断なく騒がしい音が聞こえた。徹也はここに死のような静寂を勝手にイメージしていた。原爆実験場ではないのだから、完璧《かんぺき》な死の世界なんてあり得ないのだ。鳥、蛙《かえる》、鼠《ねずみ》、リスなどの全《すべ》てを把握できぬ様々な種が常に蠢《うごめ》き、唸《うな》り、囁《ささや》き、嘶《いなな》き、時には叫んだりしつつも人間たちの様子を窺《うかが》い、挑発する。勿論、そこに潜む彼らの中には徹也たちの知らぬ、想像すらし得ぬ何者かも含まれているのだろう。

〝まるで空襲を受けた前線基地のような乱雑さだ〟と戦争に行ったことのない誰もが感じる。見知らぬ兵士の亡霊が突然目の前に現れて〝かつて、ぞっとするような残虐《ざんぎやく》行為が戦時中にここで行われた〟と告白し始めてもおかしくはない。

今日の早朝、徹也がここを思い出して久しぶりに来てみた時にも既に形容し難い気味の悪さを感じていた。いずれにせよ、こんな天候では人目につかず、しかも雰囲気のある場所はなかなか確保できないので仕方がない。とはいえ体育館を借りてまでやるような性質の作業ではないのも事実だった。しかも、そう遠くもない場所に民家もあるが、そのお陰でコンビニには徒歩十分以内で行ける。

以前、そこは最新鋭の設備を備えた立派なテニス場として知られ、日本でテニスが流行した時期には世界的に有名なプレイヤーが多数訪れて地元の主婦たちに直接コーチするイベントなども行われた。しかし、そのブームにやや陰りが訪れた頃、遠い他の地域からわざわざやってきた男子高校生が謎《なぞ》の自殺未遂を起こすというショッキングな事件があった。正確な名前は忘れたが、それが徹也の知人と同じ高校に通っていた奴《やつ》だったので調べればすぐ判《わか》る。確かそいつはテニス部の部員ではなかったのを徹也自身が記憶している……しかし、そんな必要性のないことに係わるのは面倒なので、実際には何も行動を起こさなかった。未遂を起こした奴がいままでは何事もなかったかのように心身ともに健康であれば、この土地にまつわる悪い印象を払拭《ふっしょく》できるかもしれない。だが、徹也たちは別にこの元テニス場を買い取ってまで、ここで殺人リハーサルを続ける気も特にないのだった。それに同じ場所でばかり続けていたら、いつかは近隣住民の話題になって、見物客まで詰めかけてしまうだろう。

そこでは実際の殺人の瞬間に現場で聞かれるような派手な物音がコンクリートの壁に響いて凶々《まがまが》しい緊迫感を演出していたが、不穏な空気を感じ取った近隣住民が駆けつけてくるような一幕はまずなさそうであった。途中、一度だけ買い物袋をさげた中年女性が近くを通り過ぎたが、見て見ぬ振りをしてこちらの様子をまるで気にしていないようだったので誰も遠慮せず恥ずかしがらずに、大胆なリハーサルが繰り広げられた。だからと云って理性を忘れて攻撃的な雄叫《おたけ》びを上げたりするような、無邪気な者はいない。休日の繁華街でよく見られるような酒や麻薬によって集団精神錯乱を起こして、ギャアギャア叫んでいる最近の若者連中とは、彼らは違う。麻薬どころか、身体や精神に悪影響を僅かでも与える薬や飲食物は、絶対に摂取しない生活方針を各自が自主的に長年貫いているのだ。アルコール、コレステロールや澱粉《でんぷん》の大量摂取は勿論のこと、運動不足も彼らにとっては敵だ。確かに〝健全な精神は健康な肉体に宿る〟というスローガンをモットーに壮健な肉体を優秀な殺人の道具に仕立て上げるというのは、ある種の矛盾を孕《はら》んでいるといえる。だからこそ、彼らは根底に〝いつかは何らかの理由で祖国のために戦うかもしれない〟と仮定し、肉体を強靭《きょうじん》にするための試練をやるのだという愛国主義的な命題を潜在的に持つ必要があった。しかし、いまはまだそんなレベルではないから無邪気に何も考えず、ひたすら健全な遊戯感覚でこの殺人リハーサルに没頭すればいいのだった。

　そんな健康的な生活をいままで送ってきた彼らだが、残念ながら実際の殺人経験のあるものはその中に一人もいなかった。その替わりに某国軍事基地内で撮影された殺人演習ビデオと外国語で書かれた教本を参考に、市営の貸し会議室で全員で勉強してからここに来た。決して野蛮ではない堅実さ生真面目《きまじめ》さ、そしてその几帳面《きちょうめん》さから彼らが単なる殺人願望を持った血に飢えた変質者の一団ではないことが窺える。六人は元々知り合いではなかったが、世の母親たちがこぞって娘の結婚相手にしたいと望むような好青年揃《ぞろ》いであるという共通点を持っている。しかし、こうしてめぐり合ったにも係わらず、人間の冷酷さを追求するために集ったことを彼らが決して忘れなかったために、お互いがすぐに打ち解ける磊落《らいらく》さは全員に欠如していた。

技術の視覚上での習得は完了しても、精神面での習練は未熟なままだ。

各自が冷静に自分の内面をまるで絵画を遠くから俯瞰《ふかん》するかのように細部にわたって見つめ、そして自分の倫理観について深く考察している。いざ実戦というときに、その内面の健全さゆえに殺人という行為に抵抗を覚え、情けなく尻込《しりご》みしてしまうようでは困るのだ。この壁を乗り越えるのは、簡単そうにみえて実は大変難しい。道徳心はそれがいかに自分の内に住まうものであろうとも、なかなか捉《とら》え難い。バクテリアか何かの細菌のように常にじっとせず、形も変化する。しかし、殺人のプロになるのならば、それは絶対に避けては通れぬ重要な作業なのである、と外国のテキストには書いてあったから素直に従うしかない。

マネキンは専門業者から勧められて余程頑丈な高級品を購入したので、何度ナイフで刺しても、鉄パイプで叩《たた》いても、ガソリンで燃やしても、全然壊れずに変形も変色もしなかった。NASAで開発された特殊な素材で出来ているらしい。試してみれば誰でも判るが、これは間違いなくこの手のリハーサルには必需品だ。

しかし当初の期待を大幅に裏切り、何度やっても彼らには一向に本物の殺人の実感が湧かなかったし、異常な興奮とも無縁だった。

〝これなら安い西瓜《すいか》でも沢山買い込んで、目茶滅茶に叩き割った方がよっぽどスカッとするな〟とは誰もが思っても、言いだせなかった。

長時間こんなことをやっていても、何時《いつ》まで経っても満足できない。真面目に取り組んでいて馬鹿《ばか》らしい……。やがて欠伸《あくび》をし始めたり、地べたに座ってコンビニで買った菓子や飲料水を食したり雑誌のページを捲《めく》り始めるメンバーの姿も目立ち始めた。

「ちょっと、待って！　マネキンは実際の人間と違って幾ら殴られ刺されても、声も出ないし血も出ないから、我々を満足させてくれないに違いないよ」

全員があえて口にしなかった問題点について、徹也が簡潔に述べた。

こんな時間に演劇用の血糊《ちのり》を調達するのは不可能に近く、しかも偽物《にせもの》の血糊で高価なジャージを汚すのは割に合わない上に、あくまでもこれはリハーサルに過ぎないのだからという意見が自然に全員の頭にほぼ同時に浮かんだ。しかもそれが原因となって、帰り道で警官に怪しまれて尋問されでもしたら、今まで綿密に立てられた計画が全て御破算となってしまうだろう。

「こんな夜中に皆さん集まって何をやってるのですか？」

彼らが今後の予定について話し合いながらタバコや缶コーヒーで休憩していると、突然口髭《くちひげ》を生やした小柄な警官が自転車に乗って呑気《のんき》にやって来た。さすがに音がうるさかったので、先程通りかかった近所の中年女性が通報したに違いない。電車の通過する音が全てをかき消し、包み隠してくれていると思っていたのに……。確かに人里離れたロマンチックなシーズンオフのリゾート地を選ぶことが出来れば、それに越したことはなかったのだが……。

全員の頭にカッと血がのぼり、不快な息苦しさをおぼえた。確かにそろそろマネキンを相手にするのに飽きた頃だったので、見た目からしていかにも人の良さげな警官の登場は、息抜きにちょうど良かったのかもしれない。

その頃、一日の単調で退屈な勤めが終わった喜びを、木田隆司はぎゅうぎゅう詰め状態の電車から吐き出されたときになってから、やっと少し実感した。と同時に冷たい外気が突然、彼の顔に吹きつけてくる。いまは熱が七度ほどあってカゼ気味なせいもあり、このような冷たい空気は余計に骨身に染みる。頭痛が辛《つら》くなった。早くなった鼻をティッシュでこすり、まるめて人込みの中に適当に投げ捨てた。早く家に帰って、熱い湯と冷たい水を交互に浴びる療法をしたいと心の中で強く望んだ。

そしてホームから改札へと繋《つな》がる階段を昇るときには、既に電車が徐々に凶暴な闘牛のような勢いで次の駅へと走り去る気配を感じた。

社会という牢獄《ろうごく》の監禁からようやく解放されたことを、しみじみと噛《か》みしめながらJR市川駅を出る。三日前から引き続き、今日もまた雨だ。地面に落ちた雨滴がぽつぽつと砕ける音がする。傘を会社に忘れたので、ただ降りしきる雨をじっと眺めながら改札を出た辺りで一瞬立ち尽くす。もう晴天の空がどんな色なのか、すっかり忘れてしまっていた。そんなことに唖然《あぜん》とするのもこれが最初ではない。あたかも何もかもが予定通りで、活気のない工場の流れ作業のような単調さ。

駅出口から一斉に放たれた勤め帰りの奴隷《どれい》たちの流れに身を任せ、自分のアパートへ向かう。彼らは互いの暗い表情を見ないで済むように、俯《うつむ》きがちに歩く。そこで彼はいつも、取引先の下請け会社である小林産業の工場を以前見学したことを不覚にも思い出す。雑草や、やたらと背の低い木が生い茂った荒野にぽつんと立てられた工場……周囲は荒れた岩肌が剝《む》き出しで、邪魔な岩がゴロゴロしていた。あれは何と陰気な雰囲気の職場だったことだろうか。どんなに色彩が豊かなペルシャ絨毯《じゅうたん》をそこに敷いたとしても、無駄だ。

足に車輪が付いたカエル、中に笛が仕込んである伊勢海老《いせえび》、ぱっと見て何だか判らない地雷の模型、画面にパンダの写真のシールが貼《は》ってある旧式の回るチャンネルが付いたテレビ（下部に何故《なぜ》か車輪付き）、赤頭巾《あかずきん》ちゃんともマッチ売りの少女とも判別がつかぬ青い目の人形、コアラの頭部を模した置物（やはり下部に車輪付き）、ベンチで寄り添う老人夫婦の模型などの全ての製品が粗末で安っぽいプラスティック製だ。全部、青森にある小林産業の工場で生産されている。

生産量の九十七パーセントが、隆司の勤めるカー用品のチェーン店に出荷される。当然のように趣味の悪いそれらは全く売れず、直《す》ぐに小林産業へ返品される。しかし、驚くべきことにまた直ぐに同じ商品が隆司の会社に納品される。本部で在庫管理のチーフである彼であっても、何故なのか判らない。上司も固く口を閉ざしたままだ。だから彼には適当な理由をデッチあげて工場を訪問する必要があった。

耳を覆《おお》いたくなる機械の轟音《ごうおん》の中で、赤く目が光る鳥の剝製《はくせい》の嘴《くちばし》の奥に仕込まれた隠しカメラが常に職場を監視する。虚《うつ》ろな眼窩《がんか》がやたらと目立つそれを従業員たちは意識して、作業中互いに一言も口をきかなかった。いや、もし監視されていなかったとしても彼らは一体どのような話題を話すというのか？

従業員たちの生真面目な表情が隆司の心を打った。

隆司が工員の一人に工場内の便所の場所を尋ねたときも、完全に無視された。結局、便所は自分で探した。電球が切れたまま放ってあるせいで、ペンキが剝《は》がれて薄汚れた壁すらハッキリと見えないほどに中は暗かった。

「何も見えねえぞ。これじゃ、自分の持ち物ですら見えねえぞ」

仕方なく隆司は苦笑いしながら、小用の便器があると思われる暗闇《くらやみ》に向けて放尿した。

「こりゃ、笑い事じゃねえぞ」

普段と違う柄の悪い独り言が隆司本人、自分で気に入った。全てを出し終わるまでの時間が、異常に長く感じられた。

「何故彼らは会話をしないのでしょうか？　もっとお互いに心を開き合えば、自然と彼らにも笑顔が生まれ、ひいては生産の能率も向上するのでは？」

彼は昼飯の際、赤ら顔で太鼓腹の工場長に聞いた。

「いや、ここでは何があっても従業員の間での私語は全面的に禁止されています。パーソナル・コミュニケーションはノー・サンキューということです。作業工程に何らかのミスがあったら困りますからね。それから、駅から工場までの送迎バスの中でも通勤中の電車でもそういう決まりになってます。こういう管理職なんかをやっていると、やたらおべんちゃらを言ってゴマをする部下が寄って来たりするものですから、そんな連中に惑わされて自信過剰にならずに済んでますよ。私個人、非常にありがたい。そもそもうちはセンシビリティー・トレーニングみたいなのをする施設じゃないんだから」

ぽってりとした唇を器用に動かしながら誇らしげに工場長は答えた。それに関して隆司は何の感想もなく黙り込んだ。〝彼は余りの厳しい労働条件に対して反感を持ってしまったのでは〟と感じた工場長が慌《あわ》てた。

「しかし、独り言ぐらいなら許されていますよ。何を言おうと自由です。そんな個人のプライベートな領域まで我々が立ち入る筋合いはないでしょう。できれば、当社の意向に対する批判ばかりをのべつまくなし四六時中、一人でブツブツとグチるような非合法の組合活動みたいなサボタージュを目的としたドロップインサイダーのアジテーションは御免ですがね……」

そう言って寛容な自分の人柄をアピールしたのだ。

「それから来年早々にはうちの工場でもノーマライゼーション改革が起こります。

地域の障害者たちを大胆に、異例の大抜擢《だいばってき》で雇用するために、ビンゴゲーム大会の準備をしている最中です。勿論《もちろん》、厄介なコミュニケーションは抜きでね」

しかし、隆司の沈黙が続いた。焦《あせ》った工場長はいまや目を合わそうともしない彼の肩を叩いて無理矢理意識をこちらに向けさせて、遠くで作業中の病弱そうな一人の青年の方に注目させた。昼食時間なのに、まだノルマが達成できていないようだった。

「ほら、そこの痩《や》せこけた青年がずっと一人で何かを話してるのが見えますよね。彼は大変な文学青年だそうですから、ヴェルレーヌか何かの詩でも暗唱しているのでしょうか。僕らの若いときならともかく、いまどきの若い人には珍しいですよ。まさにここから巣立って行こうとする彼の才能を、我々は大切に見守りたいと思っています」

青年は常に激しく身体を揺らしながら、何か詩的な言葉の断片を呟《つぶや》いている。隆司は唇の動きを読もうと注意深く青年を凝視したが、やはり何も判らなかった。それは詩の暗唱と言うよりも、己の体内に流れる激しいビートに合わせて何か言葉を吐き出しているように見えた。少なくとも遠目には。

もう一度便所に行くふりをして例の陰鬱《いんうつ》な表情をした文学青年の近くを通ってみたが、それは全く詩の暗唱ではなくただ苦しそうに咳《せ》き込んでいるだけだった。しばらく耳をすまして佇《たたず》んでみたが、詩らしいものは断片ですら聞こえてこない。これでは文学青年であることも疑わしい。確かに結核を患《わずら》っているようなので、もしかすると本当に彼は古いタイプの文学青年なのかもしれないし、実は詩の世界とは何の関係もない単なる肺の調子が悪い病人なのかもしれない。

ここでは、返品された商品が溶かされて、ただのプラスティックに戻る。そして、また同じ商品になって生まれ変わる。このリサイクル方式なら一度素材に投資すれば、二度と金が掛からずに済む。勿論デザインを変更せずに、ずっと同じ商品のみを作り続ける。へたに売れてしまったせいで素材が回収できなければ、生産がストップしてしまう。

その後、大変品格のある顔立ちをした肖像画が何枚も掲げられた社員食堂で、不味《まず》くて見た目の色も悪い昼食を食べたあとに今度は別のセクションをガラスの仕切り越しに見学したが、そこで老若男女《ろうにゃくなんにょ》入り交じった十五、六人の従業員が二班に分かれて陰険な小競り合いを展開しているのを目撃した。彼らの目は憎悪《ぞうお》で輝いていた。その脇《わき》でケガをした若い女性従業員が指先を歯で咬《か》みながら小さな唸《うな》り声を上げて安物の絨毯の上でちぢこまっていたが、誰も手当てしようとはしない。争いに夢中で、大男のパンチをまともに食らった女の怪我人《けがにん》など誰の視界にも入っていない。とんでもないハプニングだと思った。

そのとき、工場長が小走りでやってきて隆司の耳元に小声で話しかけてきた。

「従業員は皆気が付いてませんが、実は会社の方針で従業員同士がそれぞれにいがみ合うよう、巧妙に仕組んであるんですよ。売れる商品など最初から作る気はなくて、彼らがどうやったらこちらの思惑通りに憎しみ合ってくれるのか、そういうデータが欲しいんですよ……」

あんなに劣悪な環境で働く連中と比べれば自分の方がまだ幸福ではないのかと考えもするが、結局は何ら違いはないという結論に到ってしまう。現に自分に対してのみ意地の悪い上司や仲の悪い同僚が、彼には何人もいたからだ。結局、隆司の首には常に小林産業の工員たちと同じような重い鎖がつけられたままで、解放されることはまずないだろう。

しかし相当な負けず嫌いという言葉が似合っている隆司は、いつかこの現状を巻き返してやろうと常に考えてはいた。だいたい、競争のない世界でぬくぬくと生きるなんて張り合いがないじゃないか。この世は非情な競争社会だからこそやり甲斐《がい》があるのだ。

しかし、仕事のこと以外でも彼には悩みの種があった。

数年前から動悸《どうき》や息苦しさが、度々彼を襲うようになったのである。そのせいで以前より体が疲れやすくなった。もう入社当時の飛び跳ねるような元気はなく、仕事が辛くてどうにもならない。勿論、安心して身を任せられる親切な名医のいるよい病院を会社の同僚や友人に色々と紹介され、様々な検査を受けたこともある。最初の診断のときに隆司は必ず自分から医者に近寄り、手を熱く握る。ある種の強迫観念がそうさせる。そして、互いに友情の感じられる握手をする。おざなりな感じでは絶対にだめだ。その替わりに診断や治療の方法には、一切口出ししない。握手によって築かれた強い信頼関係があるから安心して医者に任せられる。

しかし、どの医者にも彼の病気の原因は解明できず、当初の親切な対応が単なる芝居であったかのように皆口を揃《そろ》えて〝これは精神的なものであり、我々にはどうすることもできない〟と突き放したような冷たい態度で診断結果を報告する。そして適当な精神安定剤を処方されて追い返されるのだ。医療にはまるで素人《しろうと》の隆司でもこれには納得が行かず、有名な大学病院でも徹底的に調べてもらったが、やはり結果は同じだ。

確かに今の隆司の表情は健康さに欠ける病人のものであるが、もともとは不快を催させる類《たぐい》の顔ではない。服装にも気を使い、派手ではないがなるべくシンプルで洒落《しゃれ》たものを身につけるよう常に心掛けていた。彼はいわゆる世間でいうハンサムとは違うが、もじゃもじゃの長髪と薄青い瞳《ひとみ》が何処《どこ》か他人に素敵だと感じさせることがよくあった。内面は常に暗澹《あんたん》たる気持ちに支配されていることが多かったが、人込みの中で見知らぬ女性がすれ違いざまに〝何だか素敵な人ね〟などと自分の噂《うわさ》をするのを小耳に挟めば、気分も満更ではない。

今日もまたそんな囁《ささや》きを偶然路上で聞いたので、多少救われた気がした。

〝あの人、知的な教育とはまるで無縁に育ったみたいね〟とかいう嘲《あざけ》りの類の言葉でなくて何よりだ。そして、いつの間にか雨も止《や》んでいた。何の前触れもなく、良い兆《きざ》しを感じた。さっきまでの暗い顔は何処へやら、とまでは行かぬが少なくとも背筋くらいはピンと伸ばしてみた。

そこで彼は路上で急に立ち止まって夜の空気を深呼吸で吸い込んでリフレッシュすると、途端に憂《うれ》いが去ったような気がした。身近な足元に咲く名も知らぬ綺麗《きれい》な花の匂《にお》いを、吸い込んだからなのかもしれない。

それに体の不調の原因は何となく判《わか》っていた。心のせいなんかではなく自律神経の失調によるものではないか、とごく最近彼は家庭医学の雑誌の記事を読んでそう思うようになっていたのだった。確かにこの町に移り住んでからというもの、運動不足になりがちだ。だからせめて駅から自宅までの道のりを、バスを使わずに徒歩で通うことにしたのだ。こうやって自律神経を鍛えれば、彼を悩ます症状も出にくくなるだろう。しかし、実際にやってみると予想していたよりもそれは随分と苦しい運動だ。

実は不愉快な日課はまだ終わっていなかった。ゆるやかな坂道になっている住宅地を越えた辺りから隆司の自宅近くまで続く黒い川の水面に映し出された数々の街灯が、揺れて歪《ゆが》んで過去に出会った小林産業の従業員たちの顔に見えて仕方がなかったからだ。彼らは皆、ジフテリアで呼吸困難に陥ったような苦痛を訴えており、彼の歩調に合わせて加虐《かぎやく》の力量が自在に変化する。はたしてゆっくり歩いた方が、彼らの苦しみを和らげることになるのか？　または水面に一瞥《いちべつ》も呉《く》れずに走って帰宅し、一連の受難劇をサッサと終わらせてやるのがいいのか、隆司には容易に判断できない。それぞれが具体的な誰それというのではないのだが……個々の激しい苦悶《く　もん》のどの表情の中にも、どこか懐《なつ》かしく、そして親しみを感じさせるから……。

いずれにせよ、言葉にできぬような悲しみから、何だかんだいって常に逃れることはできないのは事実なのだ。

ある種の人々にとって『美しく青きドナウ』がＢＧＭとなっても違和感のない川の眺めが、彼を癒《いや》したりすることには残念ながら成り得なかった。幾ら、水面に見事なまでに美しい鮮やかな満月が映っていようとも、それを美しいと認識する心理的な余裕など持てるはずがなかった。できることなら背広のまま川に飛び込み、それが顔か何なのか判別できぬほどに激しく水面を揺らしてやりたかった。それでは痛みだけでなく、彼らそのものの存在をも破壊することになるのだが、そこまで心配してやる義理もない。確かに明日の出勤のことを思えば、たった一着の背広を濡《ぬ》らすわけにはいかなかった。そうだ、全《すべ》ては貧困が悪いのだ。そもそも、ケチらずにバスに乗ってさえいれば、隆司はわざわざ何かの縁で見てしまった小林産業の従業員とこの苦しみを共有せずに済んだのだ。

〝チリン、チリン〟

自転車のベルの音が、執拗《しつよう》に路上に鳴り響く。隆司が前方を凝視すると、暗闇の向こうから自転車に乗った何者かがよろよろとした不安定な動きをしながらこちらへ向かっているのが見えた。単に背後からジャージ姿の男たちが全員で支えて押しているだけだった。

乗っているのは、西瓜《すいか》のように割られた頭部から血を流している警官の身体。ふざけているかのように、白目を剝《む》いている。それに触発されたのか、ジャージ姿の全員もやはり不真面目《ふまじめ》に白目を剝いていた。

隆司が注意深くさらに彼らを正面から凝視すると、血で汚れた警官の左手に徹也が上から親切に手を添えてやり、自転車のベルを鳴らす手の動きを手伝っているのが判った。

＊

「皆さんがお考えになっている程、小林さんは悪党ではありませんよ。実はいい人なんですよ。確かに彼の悪い噂《うわさ》については、私もちょくちょく耳にしていましたよ。例の徹也とやらをリーダーとした六人組の暴漢グループに襲われた話なんかもニュース番組とかで知っています。あんな素敵な人を、よく目の仇《かたき》にできるものですよ。厚顔無恥で不埒《ふらち》な連中ですよ。そいつらは傷害罪で刑務所行きでしょうね。あのときは、すぐにでも病院にお見舞いに行こうとしましたが、一時は危篤《きとく》だったらしく、そんな大変なときでなくもっと具合がよくなってからお伺いした方がよろしいかと思い、結局最後まで行きそびれてしまいましたがね……。まぁ、彼の会社が持つ青森かどこかの工場が、管理の不行き届きから爆発事故を起こし、尋常でない数の酷《むご》たらしい死者を出したという事件も実際にあったことですし、万一彼に非があるのならぜひとも公正に断罪されるべきなんですが、あれだってその全部をあの方の責任にしてしまうのもどうかと思いますが……。でも、全《すべ》て本当のことだから否定できませんよね……彼はやっぱり企業家として非常に立派な立場にいながら、そういう不良っぽいヤンチャな部分があって、それが女性にモテる秘訣《ひけつ》なんだという気がします……まぁ、あの事故で亡《な》くなった方々のご遺族にははなはだ迷惑な話だとは思いますがね……あと問題になっているのはマネー・ロンダリングの件ですか……人間誰しも他人に多少なりとも迷惑をかけて生きているのだから……あなただって身に覚えがあるでしょう。しかし、それでも私は小林さんの人柄について懐疑的には決してなれませんね。現在は所帯を持っているわけではないから、欲望のまま生きても多少はゆるされてもいいんじゃないでしょうか。ある意味、同性よりも異性に好かれるタイプの典型といえるでしょう、彼の場合。マメですからね、女性に対してね。一見強面《こわもて》で乱暴そうに見えて、太ってて、ああ見えてこう、花束なんていう非常にロマンチックなものをいきなりサッと意外なタイミングで女性に渡すものだから相手の方もこう、クラっときてしまうんでしょうかねぇ……。私なんかは、もう女房もいますが、幾ら好きな女性がいたとしても告白とかってする勇気もないし、第一に照れ臭くって、男が花なんて恥ずかしくて花屋で購入することさえできやしませんよ。だいたいどんな花を買えばいいんですかね……いまの女房にだって、一度も花なんてやったことがないのに。そんな男がですよ、花なんか、ねぇ。だから羨《うらや》ましくってね、あの人が。私が女性だったらもうすぐにクラっときちゃってるでしょうね。私にはいつか彼のようになれる日が来るのでしょうかね……そのターニング・ポイントは、いつ何時やってくるのか分かりません……。それにあの相手を見つめるときの、鋭く真意を探るような視線。誰でも思わず視線をそらしてしまいますよ。だから、あの人は本当に凄《すご》いと思います。尊敬してます。だから、そういう私の立場も皆さんに少しでも理解していただきたいです。何せ、私個人はまさに彼にいろいろと助言を受けて、窮地を助けていただいたのですからね。本当だったら、あのとき死んでいたかもしれないのに……。別に恩があるから、彼のことをいい人だ絶対にいい人だ、と無理に言ってるのではありません。その辺をぜひ強調してください」

髪が乱れ、いかにも学者らしい服装の無頓着《むとんちゃく》さを白衣で覆《おお》い隠している男の話を研究所のエレベーターの前で聞いている間、ルポライターの岡田は一度も相槌《あいづち》を打つことなく終始黙っていた。途中で一度片手でタバコをくわえ、もう片方の手で内ポケットから器用に取り出したデュポンのライターで火をつけた。本当のところ、取材用のテープ・レコーダーが真面目《まじめ》に聞き役をしてくれていたので安心して思考停止していられたのだ。

「私は科学のことはよく知りませんが、どんな研究をなさっているのですか？」

何も考えていなかったので、大切なことを聞きそびれそうになって慌《あわ》てて尋ねた。

「ええ、人間の攻撃的な本能に関する研究です。全国の幾つかのサンプル対象になっている職場などから極秘で集められたデータを元に、いろいろと……。では、今日はこの辺でお引き取りください。まだ仕事がありますので」

「どうもお忙しいところを。このタウン誌ができあがりましたら、すぐに送ります」

その足で喫茶店に入ると奥の静かな席を見つけ、ヘッドホンをしてテープに録音された会話を簡単にノートに書き留め、すぐに店を出た。

美容室に到着してみるとまだ午後三時ごろであったにもかかわらず、ドアには閉店という小さな看板がかけられていた。何度かドアを叩《たた》いたが、暗い店内からはやはり人の気配が感じられない。諦めて店に背を向けて駅の方へ戻ろうとした矢先、頭上の二階の窓から恵美子の声が聞こえた。

「岡田さん、こんにちは」

窓から身を乗り出した恵美子は、昼間にもかかわらず大胆な青いネグリジェを身に付けていた。

「いや、先日はどうも」

「鍵《かぎ》開いてますよ」

下の店舗と同じく薄暗い二階の部屋は四畳半くらいの広さしかなく、トイレはあっても風呂《ふろ》はないようだった。階段を上がってすぐのところに小さな炊事場があり、やはりそこにある小さな冷蔵庫から彼女は瓶ビールを一本取り出した。

「飲みますか、一杯」

恵美子はあぐらをかいて岡田にコップを手渡し、ビールを注いだ。そのときに、彼女の乳房の大きさをじっくりと確認した。予想していたよりも小振りであったが、その代わりなかなかの形のよさに岡田は素直に感心した。

「お店は営業しなくていいんですか？」

「陽子さんが帰ってくるまでは閉めます。まだ私はハサミを持つ資格ありませんからね……」

「そうですか……」

「本当に色々心配していただいてすいません」

ゆすりの絵ハガキが届いた事件を解決しようと、本来の仕事を中断してまで駆けずり回っている岡田に対して恵美子は、普通なら言葉の端々に感謝の意を込め、もっと頭を上げることのできぬ程に恐縮した態度をするべきだ。だが正直なところ、心の底からの感謝の念があまり起きなかった。それが自分でも不思議で仕方なかった。

確かに岡田は彼女や陽子のために力になってくれているが、下心があった上での善意に過ぎないという気がしてならないのだ。それは、とても純粋な好意からとは思えない。

結局はただ単に人を、自分の性処理のために利用しているだけだ。多分、彼は報酬としてマスターベーションを手伝わせたいだけだ。

恵美子はさっと立ち上がり、適当なカーディガンを羽織った。

「どうしたんですか？　近くのコンビニで、つまみでも買ってくるのですか」

岡田には何も答えず、彼女はただ黙って階段を結構速いスピードで駆け降りて外に飛び出た。もうこんな店は放っておいて、どこか遠くへ行ってしまうことにした。

恵美子が向かった駅前は、ちょっとしたパニック状態になっていた。救急車やパトカーが何台も駆けつけるほどの惨事であった。小規模の火災のために消防車も呼ばれた。

ほんの一時間前のことだった。花屋の露店や靴磨きがいたはずの場所に、白い熱気球が落ちてきたのだ。気球らしからぬ優雅さのない早急さで、どすんと鈍い音を立てながらの乱暴な着陸。気球は途中で保険会社の看板にぶつかり、有名な女優の巨大な顔写真が最初に駅前を行き交う人々の頭上に落ちた。次の瞬間には、辺り一帯がゴミ箱をぶちまけたかのように雑然となった。

「こんな事態はうんざりだ」

慌《あわ》ただしく怪我人《けがにん》を介抱するのに疲れた救命士が、口々に呟《つぶや》いた。

混乱ぶりを助長する、回転する赤いライトの閃光《せんこう》とサイレンの大合唱が鬱陶《うっとう》しい。

瓦礫《がれき》に混じって、到るところに不自然に盛られた土塊から人々の足だけが無造作に突き出ている。責任を回避するために逃げたのか、それとも乱雑に散らばったコンクリートの残骸《ざんがい》の下敷きになっているのかは判《わか》らないが、気球に乗っていた者の姿は見えない。

「しばらくはこのまま放置しておくわけにいかぬだろうか……これ全部を片付ける俺たちの身にもなってくれ……面倒くさいんだ」

目の前に広がる膨大な仕事に向かって、ただ立ち尽くすだけの警官がポツリと独り言を言い、タバコを口にくわえた。背後からもう一人の警官が現れて火をつけるついでに尋ねた。

「気球に乗っていたという若い男は、どうしたんだ?」

「さぁ、知らんな……」

そこへブルドーザーが到着。いちいち瓦礫など細かいものを片付ける手間を省き、いっぺんに整地を始める。その跡に派手な花壇でも作ればいいのだ。

文庫版あとがき

そりゃ、この小説で僕は賞をもらったし、さらに賞金百万円をもらった。それが本当に良いことだったのか、その答えは出ていない。正直、金に困っていたので喜んで受賞させていただいたのだった。別にこの業界での名誉なんてまったく興味がないし、もし今日明日にでも小説を書くなと何者かに言われ、文学の世界から身を引くことになったとしても何の未練もない（その代わりに書くなと言い渡した人から絶対に毎月給料数十万円以上をもらいたい）。単に百万円が欲しかった……もっとも、この作品を書きあげることによって二百万以上の借金を背負ってしまうことになるのだが。

思えば受賞前も苦労ばかりであったが、それは受賞後も継続している。賞をもらったからといって、特に何もいいことはない。

以前、文筆活動は片手間の小遣い稼ぎとしか考えていなかったのが、所属していた音楽事務所の一方的な給料の打ち切り（しかも大晦日《おおみそか》に！）という非常な事態に渋々、新潮社からの長編執筆依頼を受けるハメに陥ったのだった。依頼から一年と三ヶ月でこの『あらゆる場所に花束が……』が完成した。正直言って、長い内職が終わった……という以外に何の感想もない。それから数年の時を経た、いまのいままで読み返すのはおろか、手に取る（一冊も自宅にはない）ことすらなかった。何の愛情も自作には感じられないから……それ以上に、辛《つら》かった執筆当時のことを思い出したくなかったのだ……。

しかし、こうして文庫に収められる機会に再び目を通してみた。あまりにもバカバカしくて不覚にも笑ってしまった。そういう意味では、これは成功作と客観的にいえるのかもしれない。もちろん文学的価値はといえば……それはさておき、とにかく笑えたから良しとしたい。どんなに辛い過去も、時間を経て客観視できるようになるのと同じことなのか？　しかし、これを書いている時の自分は、本当に小説など書きたくなくて、貧困で精神的に辛くて死んでしまいそうで、とてもじゃないが笑って書いている余裕なんてなかった。本当に、自暴自棄だった（現在でも小説を書く自分は、十分に自暴自棄な気持ちだが……）。小説など書かずに生きてられる輩《やから》は全員死んでしまえとさえ思った。もちろん、この後に小説なんて一切書くつもりはなかった。いまだって、こうして文庫版のための「あとがき」などという余裕を持った作家が書くようなものを書いている自分が不甲斐《ふがい》ない（これは酷《ひど》い小説を晒《さら》したことに対する僕なりの言い訳と謝罪だ）。とにかく自暴自棄しかなかった……誰かに褒めてもらおうなんてぜんぜん思ってなんかいなかった……とっとと何もかも終わらせたかった。「いくら頑張っても、こいつの才能のなさは手がつけられない」と編集者を呆《あき》れさせたくて、小説など書けと二度と命令されないように頑張ったのだ。

それから数年が経った。相変わらず、この自分が小説家気取りで小説もどきを書いて、何とか生計を立てているという事実の居心地の悪さから脱することなどまったく出来ていない。苦労し、嫌な思いをして小説を書き上げ、そして賞を取った……それが世の中に問題なく流通し平凡な人々が信じてやまない成功の物語であるならば、きっと何もかもがハッピーエンドで終わっていただろう。そういう意味では、僕の物語はまだ結末を迎える気配すらない。現実は残酷なもので、いまではこの作品を書いた時が逆に懐《なつ》かしくも輝いていたように思えるほど、受賞後の方がよっぽど苦難に満ちた人生が待っていたのだ……。

だからこそ、あれだけ嫌で、現在でももちろん嫌な文筆業に携わっているのだろう。自己表現などという身勝手なものが、人が期待するほど、そんなに有り難いものなんかであるはずがない。しかも有り難いものでなければならない義務だってない。様々な感情が人の顔の種類と同じく微妙な差異で存在しているように、多様な表現が存在して然《しか》るべきなのだ。それを許さず安易な感情移入や安手の感情移入とやらだけが小説だの文学だの物語だのといって罷《まか》り通る世の中には、心から吐き気がする。怒りを覚える。権力が常にわれわれの生活に関与し、おのれの都合のいい理不尽な制度を捏《ねつ》造《ぞう》するのと、それはまったく同じだ。ハッピーエンドなんてあり得ない。このような世界では絶対に。そのような真実を暴《あば》く……とまではいかないが、幻想に取り憑《つ》かれ安定したと思い込まされている人々の人生に横槍《よこやり》を入れ、出来る限りイラつかせる。僕にもし、作家として信じるに足る誠実な仕事があるのならそれをやるしかないと思っている。

ハッキリ言って、そんなものは誰の得にもならない。報われない……苦労の割には金にならない。嫌な思いを存続させるためだけに、不愉快な作業を繰り返すだけだ。受賞なんかしても、所詮《しょせん》はすべて虚栄であることくらい、本人が十二分にわかっている。

いつの日にかこの嫌な思いが、何かの間違いで、金でなく、名誉などというものでない何かによって、僕が報われるような奇跡が起こるのを、ひたすら祈りながら……いや、この作品が文庫になったくらいでは、とてもじゃないが救われない。それでもまだ本格的に小説を書き始めたせいで背負うことになった借金と苦しみは、いまのところまるで返上される様子すらないのだから、まだまだ書くしか道はない。
本当に嫌だけど。

二〇〇五年三月

中原昌也

中原昌也小論

渡部直己

文庫本であるからには、当然、ここで中原昌也の作品にはじめて触れるいっそう数多くの読者が生ずる。その成りゆきに一役買う者の悦《よろこ》ばしい責任において、基本的な確認からはじめたいが、デビュー作『マリ&フィフィの虐殺《ぎゃくさつ》ソングブック』(一九九八年)から、次作『子猫が読む乱暴者日記』(二〇〇〇年)にいたるまで、そこに収められた諸編はことごとく短かった。ほとんど暴力的に短い。彼の登場に魅了された人々も、唾棄《だき》する人々も、異口同音に反応していたのはその点にある。論より証拠。このさい是非とも本作『あらゆる場所に花束が……』(二〇〇一年)との併読を勧めておきたいのだが、短編というよりは「掌編」小説に類するその諸編においてはしかも、何の前触れもなく、何かがいきなり始まり、いきなり終わってしまうのだ。或《ある》いはまさに、小説における始まりと終わりの観念そのものを破壊しつくすかのような、無慈悲なまでに短いテクスト。「起」もなく「結」もないその場にはむろん、小説にふさわしい「承」も「転」もありえず、「掌編」とはいえ、手のひら(「掌」)のなかに収まってささやかに息づくようなイメージもない。そこに読まれるのは、いわば「掌」を欠いた「指」、それも、形も方向も不揃《ふぞろ》いで気まぐれな数本の「指」のような言葉の塊であった。

その切断性、とりわけ「結末」を支配する途絶の感触は個々に鮮烈で、これを評価した絓秀実は、中原昌也の世界を現代にふさわしい「ジャンク」(=ガラクタ=ゴミ屑《くず》)小説と名指し、丹生谷貴志は「地表に芽吹いた瞬間に成長を放擲《ほうてき》してしまう不思議な植物群の簡潔さ」と舌を巻く。対して、折から「J文学の旗手」と謳《うた》われたこの作家を嫌う人々は、「小説のイロハ」も知らぬ者の出鱈目《でたらめ》で投《な》げ遣《や》りな作文といった罵声《ばせい》を浴びせつづけることになるのだが、無知なのはおそらく後者、狭い日本の二十世紀前半たかだか数十年間に形成された小説美学を、いまだ金科玉条となす人々のほうである。『ドン・キホーテ』以来四百年を数える近代小説の歴史とその精髄の数々を広く視野に収めてみるがよい。このとき、「小説のイロハ」も知らぬどころか、むしろ痛いほど知りすぎている作家たちの一群に、彼が連なることは明白な事実に近く、でなければ、次のようなくだりなど書けようはずもない。この点をまずは強調しておくべきだろう。

昨夜頼んでいたとおりに、朝の九時過ぎに電話が鳴った。フロントからのモーニング・コールだ。しかし、陽助はすでにベッドを抜け出してバルコニーに立っていた。

「これは長時間の観賞に堪えうる景色じゃないか」

澱《よど》みない透明な蒼《あお》さを持つ海は、美しい高級色紙のような青空の色と溶けあって、トロピカルなムードを演出していた。そして沖合いに浮かぶヨットの白い帆がひときわ効果的に、その存在を目立たせた。自然と人間が正しく共存することで生み出される美しいハーモニー。

陽助が小型のカメラを取りにベッドに戻ろうとした時、フロントからの電話にやっと気付いた。

「もしもし、ここは陽助の部屋だけど」

「フロントですが、お約束の時間なのでお電話しました」

「ご苦労様。それにしても素晴しいね、バルコニーからの眺めは。ここに来てよかったよ……」

ここマウイ島はホノルルからさらに飛行機で移動しなければならない、ハワイで最も落ち着いた大人のムードを持つ楽園なのだ。

『子猫が読む乱暴者日記』中、「貧乏だから、人間の死肉を喰らう」と題された小品の一節。いっけん、ひどく平板な会話（および心内語）と観光パンフレットもどきの地の文によって形づくられたものと映ろう。紋切型、すなわち、誰もが簡単に口にし文字にしうるような言葉の、まさに投げ遣りな羅列。確かにそうみえもする。だが、この一節のなかに、「もしもし、ここは陽助の部屋だけど」などといった絶妙無類な、つまり中原昌也にしか書けぬ一句が紛れ込んでいる点を見逃してはなるまい。書き手はここで、この台詞《せりふ》のいわば高度なアホらしさを光らせるために、前後に紋切型の平板さを丹念に講じているのだ。逆にいえば、そのきわだちに賭《か》けて、誰もが口にしうる言葉の気恥ずかしさ、こそばゆさを、当の言葉自身（言い換えるなら、恥も痛みも覚えず得々とそれを用いる者たち）に思い知らせてやるために、あえて紋切型を酷使すること。つまりは、紋切型によって紋切型を殺す。本作の随所にも踏襲されているこの手口は、海の向こうでは『ブヴァールとペキュシェ』のフローベールからレーモン・ルーセルなどが引き継ぎ、こちらでは、花田清輝から後藤明生がリレーした高等戦略に列する。

右のほか、「掌編」であるにもかかわらず、最低二、三度は焦点移動せずにはいない浮動性は、いわばせっかちなフォークナー。同じく、出来事や心理の飛躍・短絡・転調・変貌《へんぼう》の意表を衝《つ》く効果としてこの作家が自家薬籠中《やくろうちゅう》のものとなすのは、もちろん、カフカが本格的に創始した「因果律破棄」の手法の今日的変奏。さらに、分かり切ったことをもっともらしく付加する手口には、素っ気ないベケットの風味があり、本作から拾うなら、たとえば次のようなくだりに吹き出したような読者は、いずれ本家の『ワット』や『モロイ』三部作を手に取ってみるとよい。

　本来なら、徹也は女性とみれば見境なく性交渉を持ちたくなる性分なのに……。
　勿論、彼は修道僧ではないのだからそれでいいのだ。
　彼がこの種の車両（「ダンプカー」――引用者注）を運転するのは生まれて初めてだが、乗ってみればなかなか迫力があって楽しい乗り物であることを知った。狭い道で曲がるときには不便さを感じずにはおれなかったが。

もとより、中原昌也が上記の大作家たちにも比肩する書き手であるなどと吹聴《ふいちょう》するつもりは毛頭ない。そんなことをいえば、当人も恥ずかしさのあまり悶絶《もんぜつ》するだろう。何しろ、自作について口を開くたびに不勉強ぶりを強調し、こんな小説、読むのも読ませるのも何かの間違いなのだと、当初よりそう語りつづけている作家なのだ。だが、それは逆に、こうした比較が不当であることを痛感するまでに深く、彼が偉大な作家たちに親炙《しんしゃ》している証《あかし》である。そもそも、彼らの後で、いまさら一体どんな小説が可能なのか？　繰り返すなら、そうした鋭い歴史感覚と、小説のいわば不可能性の自覚そのもののなかから、辛うじて言葉を紡《つむ》ぎ出し、そこに生気を吹き込むこと。それが、言葉の真の意味で「現代」作家の条件であるとすれば、中原昌也のその「現代」的姿勢は、同じ「J文学」に登録された数人の書き手たち、または今日のいわゆる「メフィスト」系作家らの示す嘘《うそ》のような楽天性のなかで、あきらかに傑出している。これを、平均すれば（四百字原稿用紙にして）わずか十枚程度の短いテクストを通じて――ちょうど、ジャコメッティのかつかつに痩《や》せ細った彫塑《ちょうそ》を思わせながら――そのつど強く印象づけてきた作家なのだ。右の絓秀実、丹生谷貴志といった、同じく鋭敏に「現代」的な批評家たちが、中原昌也につとに着目したゆえんだが、二〇〇一年に三島由紀夫賞を受賞した本作は、そうした書き手による初の（そして現下に唯一の）長編小説である。約二百枚。つまり、通常の二十倍ほどの長さに引き延ばされたこの場所で、では、中原昌也の言葉たちは新たにどんな形姿を示すことになるのか？

＊

「出鱈目」の二十倍？　十人ほどの視点人物によって分かち持たれ、相互の脈絡も定かならぬ四十以上の挿話ブロックによって形づくられるこの長編もまた、確かにそうした印象を与えたがっているかにみえる。事実、発表当時からその種の否定辞は一編にまとわりつき、不評はさらに、三島賞の選考委員の一部からも洩《も》れていた。十枚ならともかく、ここまで長い支離滅裂には付きあいきれぬ、といったような。本作を読み終えたばかりの読者にも、同じ感想を抱いた向きがあろうかとおもう。まさに、一編の「あらゆる場所に」出鱈目が……？　だが、それは端的な誤解である。出鱈目であるどころか、ここには一種粘りづよい規則性の支配があり、規則に応じた伝達性が、いっけんバラバラに並びあい、放恣《ほうし》に飛躍する挿話や人物間に共有されながら、中原昌也において例外的な長さを支えている。この点にこそ、本作の興味深い新味がかかってくるのだ。ほんの一例をあげておこう。

連中の武器である鉄槍《てつやり》は非常に粗末な手製のものだ。工事現場から拾ってきたようなみすぼらしい鉄パイプの先に、市販の包丁が針金で固定されているだけ。各自、自前で製作したものらしく、一本一本に個性があった。

　中でも一番小柄な男の持っている鉄槍は、厳密には包丁ではなく使い古されたハサミが括《くく》り付けてあり、揺れるたびに先が鳥の嘴《くちばし》のようにパカパカと開いた。これでは、ただの幼児番組の人形劇にしか見えなかった。

　右は作品の三分の一あたりに読まれるくだり。主役格の一人物（中年ルポライター「岡田」）が、どこからともなく目前に出現した三人の男たちとの格闘におよぶ挿話ブロックの一部だが、これだけを取り出せば、一節はそのまま過去の短編集の何処《どこ》かに紛れ込んでよい「簡潔さ」（丹生谷貴志）を漲《みなぎ》らせているとみることができる。それこそ、前後に何の脈絡も結ばずに。だが、たとえばこの「ハサミ」はすでに、「岡田」が作中はじめて登場する美容室の一場景から「鳥」のイメージともどもここに転送されたものであり、やがて、別の主役格の過去へと転移し（「茂は以前、美容院での勤務を希望していた。実家でくすぶっていた頃、ハサミで何度もカチャカチャと空を切りながら、いつも外を眺めていた」）、これはさらに、後半部に連続する「園芸」の主題へと送り付けられている。「ハサミ」が仲介するその「園芸」ブロックにおける「髭面《ひげづら》の男」と「雅子」なる女性の関係には、前半部にみる「小林」と美容室店長「陽子」との関係が、互いに類似した条件（「離婚」直後）のもとに伝達されるだろう。そもそも、この「岡田」じたいが、初登場のおりにして早くも、作品冒頭部、別人のもとに読まれていた虐待と射精の光景を我が身に引き受けていたのである。

ことほどさように、ひとたび本作中に書き落とされるや、その虐待も射精も、不意の憎悪も変心も、暴行も発熱も、モデルガンや絵葉書やノートも、それぞれ自在に変形されながら、別の誰か、別の場所に転送され再演・変奏されつづけるだろう。すでに書かれたものは、遅速の差こそあれ、やがて書かれるべきもののネタとなる。ならぬものは、あっさりその場に放置されつづける。多少注意深く読み辿《たど》りさえすれば、この伝達と放置の運びが冒頭から作品全体にくまなく作動しているさまを看取しうるはずだが、その詳細について深くは立ち入らずにおく。ここでの要はふたつあり、第一に、いっけん場当たり的にみえるテクストの進行が、そのじつ、小説におけるいわば至近の原理から直接由来して、たとえば右のような伝達性を育《はぐく》むこと。誰のどのような作品であれ、これが持続的に読まれる（つまり、一定時間内において読者のひとつづきの記憶を刺激しつづける）以上、そこに並びあう諸場面を、相互に無縁な人物・場所・出来事として設定することじたいに、無理が生ずる点を銘記すればよい。場面がまったく変わったからといって、その前に読んだ言葉を完全に忘れ去るほど、読み手の記憶は脆弱《ぜいじゃく》ではないからだ。これゆえ、読み手の記憶を媒介として、どのような場面も、前方の場面に取《と》り憑《つ》かれ、後方の場面へみずから取り憑こうとする。これが小説におけるもっとも原理的な事態のひとつであり、通常の書き手は逆に、その憑依《ひょうい》じたいを自他に（作者もまた、書きつつある読者である）隠蔽《いんぺい》することによって場面間に「現実」的な因果や遠近関係を講じながら、作品に「真らしい」表情を与えることを旨《むね》となす。対して、本作の各ブロックは、あくまでも原理に忠実に、憑依のさまを随時あらわにすることを、たまたまそこにいる人物たちに命ずるのだといえばよいか。人物たちもまた、一種複雑な表情とともにこれに応じざるをえず、美容室の「岡田」が、直前の「醜いアヒルの家」ブロックでなされた場景を狼狽《ろうばい》混じりの喜悦とともに変奏しおえた後に、「この売女《ばいた》は俺にとんでもないことをしてくれたものだ……」という珍妙な内言を呟《つぶや》く箇所などは、けだしその典型にあたる。

このとき、かくも原理的《ラディカル》であることはそのまま、一事にかかってどこまでも過激《ラディカル》たりうることに通ずる。すなわち、英語の一義どおり、小説にまつわるもっとも至近の「原理＝過激」主義《ラディカリズム》。とすれば、翻ってまた、この作者の短編が示していたのも同じラディカリズムであったとみてよいことにもなろう。読者の存在と同程度に原理的に、作品を作品たらしめているものは何か？　始めと終わりがあることだ。ならば、いきなり始めていきなり終わってしまえばいい。先には、その過激な仕草が「始まり」と「終わり」の観念を破壊すると記した。ここではむしろ、破壊されるのはその観念の「真らしさ」なのだと言い添えるべきなのだが、これを導きえた極端な短さに代えて一定の長さが選ばれている本作では、さらに別種の「真らしさ」が潰滅《かいめつ》しつくすことになる。そこに、第二のポイントがあり、上記にすでに明らかなごとく、この小説は、人生や人間心理などに差し向けられたもっともらしい「鏡」ではとうていありえない。そこに映し出されるのは、小説それじたいの動きであり、先にいう規則性とはこのとき、まさにこの動勢にまつわるよすがと変ずる。

いわば自前の規則性（類似・対立・転倒・変形にもとづく周期的反復性）のもとに、この一編に連なる言葉たちそれじたいが、みずからの動きを映し出しながら、みずからの前途を刻々と作り出してゆくこと。言い換えるなら、この小説の真の主役は、その自己産出的な動きなのだ。やや厳密を期せばすなわち、叙述が自前の規則にしたがって虚構を次々と配分し、配分された細部や出来事がそのつど、みずからを産出する叙述動作にたいする隠喩《いんゆ》的な応諾を帯びながら、産み出し産み出される動力とリズムにエネルギーをたえず備給しつづけること。たとえば、一編の主導的叙述法として、場所も時間も人物も、相互に無縁ないくつものブロックにしきりと切り分けられるがゆえに、この場には何度も「ハサミ」が現れるのである。叙述上のその小やみない切断性はまた、作中人物たちが繰り返しその身に被る拷問《ごうもん》と暴行の主題や、「従業員同士がそれぞれにいがみあうように」組織されたプラスチック工場といった舞台や、砕き潰《つぶ》された鉢植えといった細部などを産みだすだろう。事後のネタになりそこねた諸細部や出来事が、その場に放置されて顧みられぬように、意味ありげな「ノート」もまたごみ箱に置き捨てられる。或《ある》いは一場の最大級の主役、つまり、そのつどいくつもの嗜好《しこう》や職業をネタとして提供し（提供することを余儀なくされ）ながら、ここに長く存在しつづけねばならぬがゆえに、その「小林」なる人物は、「今にも裂けそうな程に、パンパンに」肥満しているのだ。大略そのようにして、この「小林」や先の「岡田」を筆頭に、さまざまな人物たちが、その場の成りゆきひとつで、たえず突飛で可変的な行状や心理を発揮することは、読まれるとおりである。それが一部に「支離滅裂」と貶《けな》され、他方、たとえばジャン・リカルドゥーであれば、同じ様相を、建築や紋章にみる火焔《かえん》レリーフになぞらえて「フランボワイヤン様式の虚構」と呼ぶことになる。

ロブ＝グリエの『ニューヨーク革命計画』（一九七〇年）を論じたその一文（野村英夫訳『小説のテクスト』一九七四年所収）において、「ヌーヴォー・ロマンの旗手」の当該作を分析する論者は、そこで、「一方において、それを構成する手法を明らかにしていくにつれ、他方において焔《ほのお》のように燃えつきていく」諸細部や出来事の特質を詳細に跡づけてゆくのだが、本作の示す動きもまたこれに準じ、先にいう伝達性とは、その移り火のごときものなのだと換言することができる。そういっても決して過言にはあたるまいし、事実、この作品を一読したおり、わたしは即座にロブ＝グリエの名作とリカルドゥーの分析を思い出しながら、中原昌也の新作は「フランボワイヤン様式の小火《ぼや》」なのだといった一文を草したほどなのだ（＊）。本家の目もあやな豊かな火焔と異なるとはいえ、これもまたひとつの「火」であることに違いはない、と。その証拠に、作品なかほどに書き込まれたまま何処《どこ》へともなく消え失せていた「白い熱気球」が、駅前に突然落下し、テクストの組成様式にふさわしい「小規模の火災」とともにあたりに「パニック」をもたらしながら、一編の結末をなすではないかと、ここにそう付言してもよい。このとき、各ブロックを放恣に距《へだ》てつづける空白は、その隙《すき》間《ま》を介して、可燃物に不可欠な空気を送りつづけているのだ、とも。全体に何が何だか良く分からないが、読んでいて少しも飽きないといった読者たちが受け止めているのは——無造作なようでいて考え抜かれた文章や各種挿話じたいの魅力であると同時に——おそらくは、そのようにして燃えつづける炎の感触にほかなるまい。その感触にはまた、火種になり損なって随所にそのまま放置されながら、発火を夢みているような諸細部(たとえば「血液バキュームカー」、「マネキン」、「自殺未遂を起こした高校生」等々)のほてりもふくまれてくるはずだが、そう書いて終わるわけにはゆかない。一編が貴重なのは、その熱量が、いわば絶望ゆえの笑いを誘いつづける点にある。

＊

絶望はむろん、ここでもまた「現代」において小説を書くことをめぐる鋭利な認識に由来しよう。それは短編の場合より、いっそう強く働いている。というのも、中原昌也が本作であからさまに意識したとおぼしきロブ＝グリエを「旗頭」に、一九五〇年代から七〇年代にかけてフランス文学を席巻した観のある「ヌーヴォー・ロマン」は、プルースト、カフカ、ジョイス、フォークナーなどの後に、なお新たな小説を書くことの不可能性じたいを糧《かて》とした壮大な(質量両面においてたぶん最後の?)試みとしてあったからだ。ところが、ロブ＝グリエのみならず、クロード・シモン、ビュトール、サロートにおいても、その試みの最大の賭金《かけきん》は、精密にして執拗《しつよう》な描写のはらむ力にかかっていた。現に右のリカルドゥーの分析も、『ニューヨーク革命計画』の冒頭に延々と連なる細密描写の産出性に当てられている。つまり、本家「フランボワイヤン様式の虚構」の火種は、そのつど事物や人物にまといつく言葉たちの長さにあった。反して、中原昌也のテクストを形づくる簡潔な言葉たちは、読まれるごとく、一貫してその種の描写を拒否している。つまり、一事に資してもっとも良質かつ豊富な可燃物を振り捨てたうえで、本家の名残火には確かにまがう「小火」をたきつけ、あえていえば、ひどく寒いロブ＝グリエを演じながら、中原昌也は改めてここで、きっぱりと宣告するかにみえる。今度こそ、小説にはもうどんな可能性も残されてはいないのだ、と。

そこへブルドーザーが到着。いちいち瓦礫《がれき》など細かいものを片付ける手間を省き、いっぺんに整地を始める。その跡に派手な花壇でも作ればいいのだ。

その「花壇」を、間違っても新たな「文学」などと呼ばせはしない。なまじ、その残り火に手をかざしてしまったがゆえに、作者のそんな声がいっそう白々と響きわたるかのような印象には、多分に切実なものがあり、その切実さは繰り返せばしかも、小説の「現代」性の帰趨《きすう》にかかって絶望的なまでにまっとうなのだ。だが、そうした一編が、なぜこうも随所に不意の笑いを誘ってやまぬのか？

たとえば、先に記す意味で、七〇年代の筒井康隆もまた、原理的《ラディカル》＝過激な書き手としてその最良の作品をつとに産みだしてきた。そこに生ずるユーモアと、本作が誘うそれとの相違なら容易に指摘することができる。筒井康隆の「前衛」性が、逆に「文学」なる既存の枠組みの保護を信じて疑わぬゆえの活力にかかっていたとすれば、その枠組みじたいがことごとく「瓦礫」と化した場に、あえて筆を執《と》ったがゆえの中原昌也であることは、明白であるからだ。執ったくせに、すべては「金のため」で、本当は書くことが厭《いや》で厭で仕方ないという作家一流の口癖も、前者はともかく、後者の理由なら、やはり分からぬでもない。彼は決して、書くことが何もないと嘆いているのではない。書こうとするたびに、すでにその白紙のなかに犇《ひし》めいている「瓦礫」としての言葉やイメージを取り払うのに、ひどく苦労するのだと訴えているのだ。そこをまず、「整地」すること。すでにそこに犇めきあうあまたの「瓦礫」のうち、どれを駆除し、どれをどう使い直すか。本作がかりに、そうした労苦の過程でもあり、またその結果でもあり、そのための「小火」であるとすれば、この火焔にまつわる絶望的な笑いには、貴重な生気が孕《はら》まれているかもしれない。不可能なものがすべて不毛であるとは限らない。本作が繋ぎとめているのは、徹底的に不可能であるがゆえの弾みといった例外的な事態であり、事態はたぶん、次のような二種の力にかかわるのかにみえる。すなわち、すべてをそのように「整地」する場所で、なお「小説」と呼ばれうるものをめぐり、一方では「小説」の内側からその枠を逃れ出そうとする力と、他方では、外からやって来てその輪郭を殴りつけ歪《ゆが》ませてやまぬような力。そこから脱出するものと、そこへ到来するものとの不意の交錯。中原昌也的としかいいようのない笑いは、二種の力のその出会いがしらの生気から導かれるのかもしれず、じつをいえば、わたしはかねて、作家の酷愛する画家フランシス・ベーコンの、具象とも抽象ともつかぬ、あの独特に歪んだ身体画像の「形体」に寄せて、そうみなす誘惑にかられてもいるのだ。彼の短編がジャコメッティの血脈に連なるとすれば、この長編は、ひょっとしてベーコンへのオマージュではないのか、と。だが、残念ながら、この点を十分見きわめるだけの余裕も準備もいまはない。見当はずれの恐れもある。したがって、本作を経てまた旧に立ち戻り、『待望の短篇集は忘却の彼方に』(二〇〇四年)と題された皮肉な短編集を上梓《じょうし》したばかりの作家の正体は、私見におき、なおしばらくは一個の魅力的な謎《なぞ》にとどまらざるをえない。である以上、ここではむしろ、謎の正体ではなくその作用を問うことに甘んじておくが、本作を読み終えたばかりのあなたは、たとえばこの本を閉じた後で、いったい何をしたくなるのだろうか。

学校なぞ、いますぐ止《や》めてしまいたい？　無理もない。あれは何にもまして、人生の埒《らち》もない「真らしさ」を教え込む場所なのだから。職場の仲間を集め、或いはひとり街路に飛び出し、何かとびきり邪《よこしま》なことを仕掛けてみる？　それが、あくまで本作の刺激であるなら、きっと良いことだと思う。すべてがバカバカしくなる？　これも中原昌也の作用である限り、いずれ慶事に変わろう。こんな小説を書きたくなる？　上手《うま》くいけばとても良いことだ。作者自身がそう示しているように、絶望は、他者にまっとうに反復されてこそ、さらに得難い明度を発しようから。こんな作家の存在を一刻も早く忘れ、口直しに、ちゃんと心が温まり、癒《いや》される物語に浸りたい？　損なことだ。煎《せん》じ詰めれば、それはとても損なことなのだ、というそのたった一行をめぐって長口舌をふるってきた者としては、この種の読者が今後にわたり激減する事態を願うのみであり、事態を促して本「解説」がわずかなりとも寄与しうるとすれば、それこそ望外の悦《よろこ》びであらねばなるまい。

＊「フランボワイヤン様式の小火」・『早稲田文学』二〇〇一年七月号参照。なお、本「解説」の一部に、この小文と重複する点のあることをお断りしておく。

（二〇〇五年三月、文芸評論家）

この作品は平成十三年六月新潮社より刊行された。

芥川龍之介著

羅生門・鼻

王朝の説話物語にあらわれる人間の心理に、近代的解釈を試みることによって己れのテーマを生かそうとした〝王朝もの〟第一集。

有島武郎著

小さき者へ・生れ出づる悩み

病死した最愛の妻が残した小さき子らに、歴史の未来をたくそうとする慈愛に満ちた「小さき者へ」に「生れ出づる悩み」を併録する。

安部公房著

他人の顔

ケロイド瘢痕を隠し、妻の愛を取り戻すために他人の顔をプラスチックの仮面に仕立てた男。——人間存在の不安を追究した異色長編。

有吉佐和子著

紀ノ川

小さな流れを呑みこんで大きな川となる紀ノ川に託して、明治・大正・昭和の三代にわたる女の系譜を、和歌山の素封家を舞台に辿る。

石坂洋次郎著

青い山脈

北国の中学校を舞台にくりひろげられる明るい青春譜。封建的な旧世代と、若鮎のような青年たちとの交流が、多くの共感を呼ぶ傑作。

石川達三著

青春の蹉《さ》跌《てつ》

生きることは闘いだ、他人はみな敵だ——貧しさゆえに充たされぬ野望をもって社会に挑戦し、挫折していく青年の悲劇を描く長編。

あらゆる場所《ばしよ》に花束《はなたば》が……

新潮文庫　な－53－1

平成十七年五月一日発行

著者　中《なか》原《はら》昌《まさ》也《や》

発行者　佐藤隆信

発行所　株式会社新潮社

郵便番号　一六二―八七一一
東京都新宿区矢来町七一
電話　編集部(〇三)三二六六―五四四〇
　　　読者係(〇三)三二六六―五一一一
http://www.shinchosha.co.jp

価格はカバーに表示してあります。

乱丁・落丁本は、ご面倒ですが小社読者係宛ご送付ください。送料小社負担にてお取替えいたします。

印刷・大日本印刷株式会社　製本・株式会社大進堂

ISBN4-10-118441-0 C0193